A leitura deste livro será um bálsamo
sofre, mas não sabe por quê.

Ana Pau...
Pastores da Igreja Batista da Lagoinha (BH)

A oportunidade de dizer algo sobre *O fim do sofrimento* me dá a sensação de peso sob a grande responsabilidade, visto que Maurício Zágari é um escritor admirável. Recomendo com carinho e consciência o livro que tem em mãos.

Antonieta Rosa
Teóloga, pastora, escritora e líder da Igreja ADVEC (RJ)

Maurício Zágari tem a clara intenção de contribuir com a humanidade, independentemente de raça, cultura e religião. Seus textos procuram estimular o processo de interiorização e reflexão existencial, para que o leitor elabore suas experiências e cresça diante dos percalços da vida.

Augusto Cury
Escritor, médico e psiquiatra

O fim do sofrimento não é quando ele acaba, mas quando enfim começamos a aprender com ele. Estou certa de que este livro transformará desertos vazios em lições de inestimável valor.

Bianca Toledo
Missionária, escritora e cantora

Neste livro, Maurício Zágari conduz o leitor com segurança por um caminho de ajuda e esperança, por meio da Palavra de Deus.

Carlos Alberto de Quadros Bezerra e Suely Bezerra
Pastores da Comunidade da Graça (SP)

O fim do sofrimento é para todos nós, homens e mulheres que nos sentimos perplexos e impotentes diante de diferentes situações pelas quais passamos ao longo da vida. Deus abençoe este livro!

Cris Poli
Educadora, escritora e apresentadora do programa de TV *Supernanny*

Sofrimentos, crises e dificuldades estão inevitavelmente entrelaçados no tecido da vida. Contudo, você pode mudar sua vida pelas escolhas que faz, e Maurício o ajudará a fazer as escolhas certas.

Devi Titus
Escritora e palestrante

Maurício Zágari usa no livro os dois maiores instrumentos de comunhão com Deus: a oração e a leitura cuidadosa e proveitosa da Bíblia. Se eu fosse você, não deixaria de tê-lo como um manual de sobrevivência!

Dora Bomilcar
Coordenadora de oração da AMTB e produtora e locutora do programa *Entre amigas*, da RTM

O assunto do sofrimento é tratado de forma bíblica, e a obra é uma leitura imprescindível para os que precisam saber enfrentar as tempestades da caminhada cristã.

Durvalina Bezerra
Teóloga, conferencista, escritora e diretora da Rede de Mobilização de Mulheres de Ação Global e Mulheres em Ministério

Maurício Zágari possui uma compreensão excepcionalmente clara e bíblica sobre Deus e o ser humano. Este livro faz você se levantar e viver, mesmo em circunstâncias de dor e sofrimento.

Gilciane Abreu
Teóloga, pedagoga e diretora executiva da Juventude Batista Brasileira

O fim do sofrimento é um livro corajoso, que aborda a soberania e o amor de Deus com a sensibilidade única de quem conhece a dor e sabe consolar por meio da verdade. Promete ser leitura obrigatória para esta geração.

Josué Gonçalves
Escritor, conferencista e pastor do ministério Família Debaixo da Graça (SP)

Maurício Zágari escreve com o coração e fala ao coração de seus leitores. Com toda a certeza você não será o mesmo depois de ler as páginas deste livro.

Leonardo Sahium
Pastor da Igreja Presbiteriana da Gávea (RJ)

Em dias de superficialidade e irrelevância, *O fim do sofrimento* surge como um oásis para quem sente a inescapável missão do coração de integrar espiritualidade e sofrimento. Parabéns ao autor pela seriedade e sensibilidade!

Luiz Sayão
Teólogo, linguista, hebraísta e pastor da Igreja Batista Nações Unidas (SP)

A Mundo Cristão está de parabéns por esta publicação. Ela fala ao âmago do ser humano.

MIGUEL UCHÔA
Bispo anglicano da Diocese do Recife (PE) e reitor da
Paróquia Anglicana Espírito Santo (PAES)

Sofrimento é dor, é sinal de que algo não está bem. O importante é o que aprendemos em cada crise de dor. Esse é o objetivo do autor. Aproveite.

NANCY GONÇALVES DUSILEK
Palestrante e escritora

O autor caminha de maneira sensível, bíblica e não superficial no tema do sofrimento, balizando direções de aprendizado e crescimento que nos identificam com Jesus e nos aproximam do próximo.

NELSON BOMILCAR
Músico, pastor e escritor

Maurício Zágari escreve sobre a angústia que vive no íntimo de todo ser humano: o medo de sofrer. Um livro muito bem-vindo, desafiador.

NINA TARGINO
Coordenadora nacional do Desperta Débora

O fim do sofrimento agiu sobre mim como as palavras de um amigo a meu lado que se dispusesse a ler passagens da Escritura e a confortar-me com comentários cheios de graça. O texto transpira vivência e pessoalidade.

NORMA BRAGA VENÂNCIO
Doutora em Literatura Francesa, escritora e palestrante

Longe de propor o fim do sofrimento, Maurício Zágari nos faz compreender sua finalidade, por que e para que sofremos. Nosso Pai de amor também opera através do sofrimento, mas nos garante: nenhuma tribulação será em vão.

RACHEL SHEHERAZADE
Jornalista e apresentadora

Maurício Zágari nos brinda com uma obra em que a graça de Deus se faz presente, exortando-nos a permanecer firmes diante das batalhas que nos assolam a alma. Recomendo a leitura!

RENATO VARGENS
Escritor e pastor da Igreja Cristã da Aliança (RJ)

Ao invés de oferecer "regrinhas" ou "mantras" fáceis sobre um tema tão complexo, Maurício Zágari fará que o leitor enfrente o sofrimento sob a perspectiva de um Deus amoroso que não só está comprometido com seus filhos, como também ama sua criação.

RICARDO BITUN
Pastor da Igreja Manaim (SP) e professor de Ciências da Religião da
Universidade Presbiteriana Mackenzie

Sugiro a leitura a todos que anseiam se aprofundar na Bíblia em busca de respostas, ou melhor, direções que podem ajudar a trazer paz e esperança em momentos de sofrimento.

RINALDO SEIXAS
Fundador e líder da Igreja Bola de Neve

Maurício Zágari dá respostas bíblicas repletas de esperança e encorajamento para o problema do sofrimento. Não acho que encontrará outro livro melhor para experimentar a paz!

RUSSELL SHEDD
Pastor, escritor, professor, conferencista e teólogo

Este livro é um dos melhores já escritos sobre a questão do sofrimento, pois oferece respostas de esperança, paz e transformação para quem está sofrendo, com argumentos totalmente bíblicos e sem fazer falsas promessas.

WILLIAM DOUGLAS
Juiz federal, escritor e conferencista

MAURÍCIO ZÁGARI

O FIM DO SOFRIMENTO

Um livro para quem busca consolo e esperança nos momentos mais sombrios

Copyright © 2015 por Maurício Zágari
Publicado por Editora Mundo Cristão

Os textos de referência bíblica foram extraídos da *Nova Versão Internacional* (NVI), da Biblica, Inc., salvo indicação específica. Eventuais destaques nos textos bíblicos e citações em geral referem-se a grifos do autor.

Todos os direitos reservados e protegidos pela Lei 9.610, de 19/02/1998.

É expressamente proibida a reprodução total ou parcial deste livro, por quaisquer meios (eletrônicos, mecânicos, fotográficos, gravação e outros), sem prévia autorização, por escrito, da editora.

CIP-Brasil. Catalogação-na-publicação
Sindicato Nacional dos Editores de Livros, RJ

Z23f

    Zágari, Maurício
      O fim do sofrimento : um livro para quem busca consolo e esperança nos momentos mais sombrios / Maurício Zágari. - 1. ed. - São Paulo : Mundo Cristão, 2015.
      176 p. ; 21 cm.

      1. Confiança em Deus. 2. Sofrimento - Aspectos religiosos - Cristianismo. 3. Vida cristã. I. Título.

15-20885
                              CDD: 248.4
                              CDU: 248.14

Categoria: Inspiração

Publicado no Brasil com todos os direitos reservados por:
Editora Mundo Cristão
Rua Antônio Carlos Tacconi, 69, São Paulo, SP, Brasil – CEP 04810-020
Telefone: (11) 2127-4147
www.mundocristao.com.br

1ª edição: maio de 2015
3ª reimpressão (sistema digital): 2022

SUMÁRIO

Agradecimentos	9
Prefácio	11
Introdução	13
1. Estou atravessando o vale	19
2. Tudo está mal	24
3. Estou deprimido	28
4. Não consigo mais sorrir	33
5. Tenho muitas tristezas	38
6. Minha vida está uma tempestade	43
7. Não tenho paz	48
8. Estou infeliz	52
9. Estou aflito e angustiado	57
10. Estou doente	62
11. Não tenho mais forças	67
12. Sou um miserável pecador	72
13. Não aguento mais	77
14. Perdi o controle da situação	82
15. A vida está muito difícil	87
16. Estou com medo	93
17. Estou no fundo do poço	98
18. Estou em ruínas	103

19. Tudo acabou — 108

20. Vivo atormentado pelo passado — 113

21. Meus sonhos não se realizam — 118

22. Fui magoado por quem menos esperava — 123

23. Deus se cansou de mim — 127

24. Deus não me ouve — 132

25. Deus não atende à minha oração — 137

26. Não estou sentindo a presença de Deus — 142

27. Estou espiritualmente desanimado — 147

28. Estou angustiado, pois não sei os planos de Deus para minha vida — 152

29. Minha vida acabou — 158

30. Acho que Deus não me ama — 163

Conclusão — 169

Sobre o autor — 175

AGRADECIMENTOS

À minha esposa, Alessandra, que escolheu viver voluntariamente com um marido que vive compulsoriamente com uma dor diária. Obrigado por uma vida de apoio, incentivo e amor. E à minha filha, Laura, cuja alegria diária é um bálsamo de Deus contra o sofrimento.

A toda (toda!) a equipe da Editora Mundo Cristão. Este livro não passaria de uma ideia sem o trabalho de profissionais competentes e comprometidos com o reino de Deus como Mark Carpenter, Renato Fleischner, Ricardo Dinapoli, Silvia Justino, Daniel Faria, Ester Tarrone, Marcelo Martins, Maria Flávia Aquino, Luciano Silva, Lilian Melo, Selmi Aquino e os demais, cujos nomes — muito a contragosto — não consigo fazer caber nesta página, mas que são igualmente fundamentais. É graças à dedicação e ao esforço de cada um de vocês que este livro pode abençoar vidas.

A Augustus Nicodemus Lopes, Ana Paula Valadão, Antonieta Rosa, Bianca Toledo, Carlos Alberto Bezerra, Cláudio Tupinambá, Cris Poli, Devi Titus, Dora Bomilcar, Durvalina Bezerra, Felipe Heiderich, Gilciane Abreu, Gustavo Bessa, Josué Gonçalves, Leonardo Sahium, Luiz Sayão, Marcos Sá, Miguel Uchôa, Nancy Gonçalves Dusilek, Nelson Bomilcar, Nina Targino,

Norma Braga Venâncio, Rachel Sheherazade, Renato Vargens, Rinaldo Seixas, Ricardo Bitun, Russell Shedd, Suely Bezerra e William Douglas. Obrigado por terem lido o texto deste livro antes da publicação e por ofertarem generosamente palavras elogiosas e endossos carinhosos.

A Deus, por sua disciplina amorosa. Obrigado por me fazeres entender que os nossos sofrimentos leves e momentâneos são um preço pequeno perto do que Jesus pagou para que pudéssemos viver uma glória eterna.

A você, que está sofrendo e decidiu ler este livro. Obrigado por me permitir oferecer-lhe palavras de esperança, consolo e paz. É uma bênção poder abençoar.

PREFÁCIO

Numa época em que milhões de evangélicos são ensinados pelos defensores da teologia da prosperidade que o sofrimento não tem propósito algum na vida do cristão e que pode ter fim aqui neste mundo mediante barganhas financeiras com Deus, mensagens lúcidas e bíblicas como as que Maurício Zágari transmite por este livro chegam como um bálsamo. O leitor encontrará nas páginas de *O fim do sofrimento* consolo, orientação e direção para atravessar o vale da sombra da morte.

Alguém desavisado que leia o sumário da obra talvez fique com a impressão de que a leitura vai deixá-lo deprimido. Cada capítulo foi intitulado com frases que rotineiramente as pessoas deixam escapar diante das frustrações, tragédias, imprevistos, desastres e sofrimentos que costumam assediar cada um de nós no dia a dia: "Tudo está mal", "Não consigo mais sorrir", "Perdi o controle da situação", "Tudo acabou", frases que Maurício compilou ao longo de muitos anos de contato com pessoas que sofrem.

Contudo, o alvo do autor nestes capítulos é oferecer uma resposta bíblica a cada um desses suspiros de dor que exalamos diante do sofrimento. O pensamento dominante da obra é que o sofrimento é resultado do pecado e que um dia ele terá *fim*. Esse fim será dado por Deus no *eschaton*, quando da ressurreição dos mortos e do estabelecimento da era vindoura. Enquanto o *fim* do sofrimento não chega, ele tem também um *fim*, que é nos moldar e aperfeiçoar nosso caráter, para que sejamos mais e mais parecidos com Aquele que sofreu por nós.

Com linguagem simples, clara e permeada da Escritura, Maurício Zágari nos conduz da tristeza para o descanso nas promessas infalíveis de nosso Deus, mediante Jesus Cristo.

REV. AUGUSTUS NICODEMUS LOPES
Pastor da Primeira Igreja Presbiteriana de Goiânia

INTRODUÇÃO

O sofrimento é uma indesejável realidade da vida. A Bíblia está repleta de histórias de homens e mulheres tementes a Deus que passaram por aflições e dificuldades, luto e depressão, doenças e perdas. Encontramos nas páginas das Escrituras o relato da vida de pessoas amadas pelo Senhor que enfrentaram os mais variados tipos de sofrimento, numa lista que inclui gente como Abraão, José, Moisés, Ana, Davi, Daniel, Oseias, Maria, Estêvão, Paulo... e o próprio Jesus. Embora fosse Deus, nunca houvesse pecado e conhecesse as razões divinas por trás de sua dor, o Salvador do mundo exclamou: "A minha alma está profundamente triste, numa tristeza mortal" (Mt 26.38).

Sim, o sofrimento não poupa ninguém. O próprio Jesus nos alertou de que a coisa não seria fácil: "Neste mundo vocês terão aflições" (Jo 16.33). Contudo, mesmo sabendo disso, quando o sofrimento crava suas garras em nós, não há como evitar: somos dominados pela tristeza. "O sofrimento de um homem [...] pesa muito sobre ele" (Ec 8.6). Com frequência, essa tristeza é tamanha que começamos a questionar Deus. Pomos em dúvida seu amor, sua fidelidade e, em casos extremos, sua existência.

Mas o sofrimento não é um fim em si mesmo. Deus, que está no controle de tudo, usou em favor do seu povo e para a sua própria glória instrumentos improváveis, como o obstinado faraó da época do êxodo, reis pagãos como Nabucodonosor e Ciro, e até uma mula e um grande peixe. Assim, para realizar seus propósitos, Deus pode recorrer a qualquer coisa, inclusive ao sofrimento.

Antes de tudo, precisamos entender que o Senhor não é o culpado por nossas dores — o pecado é. Desde que Adão e Eva deram espaço à desobediência na humanidade, colhemos os frutos amargos da transgressão. Observe que, ao decretar sua sentença sobre o primeiro casal, o Criador fala *três vezes* sobre o sofrimento:

> À mulher, ele declarou: "Multiplicarei grandemente o seu *sofrimento* na gravidez; com *sofrimento* você dará à luz filhos. Seu desejo será para o seu marido, e ele a dominará". E ao homem declarou: "Visto que você deu ouvidos à sua mulher e comeu do fruto da árvore da qual eu lhe ordenara que não comesse, maldita é a terra por sua causa; com *sofrimento* você se alimentará dela todos os dias da sua vida.
>
> Gênesis 3.16-17

Uma vez que nós, seres humanos, provocamos a entrada do sofrimento no mundo, Deus passou a usá-lo em nosso favor — mesmo que machuque. Sei que pode soar como uma contradição, mas não é. À luz da Bíblia, o sofrimento muitas vezes é como a agulha de uma injeção: a picada dói, mas evita que um mal muito mais grave venha a nos prejudicar. Assim, o Senhor permite que soframos momentaneamente com vista a um bem maior. Qual? Na maioria das vezes, não descobrimos as razões do sofrimento enquanto o vivenciamos. Às vezes, passado o tempo, enxergamos os motivos. Outras vezes, só saberemos na eternidade. Mas a Bíblia é enfática em dizer que sempre há uma razão: "O Senhor faz tudo com um propósito" (Pv 16.4).

É evidente que, na hora em que está doendo, não parece ajudar muito saber que Deus permitiu a dor por motivos que podem contribuir para o nosso bem. Queremos que o sofrimento acabe e pronto. Como dizer a alguém oprimido pela depressão, por exemplo, que sua dor pode ser usada por Deus para lhe ensinar lições que serão extremamente úteis para si e para os demais no futuro?

O fato é que não é possível evitar que o sofrimento chegue. Nenhum ser humano na história do universo foi imune a ele — todos nós, em algum momento, sofreremos. "O sofrimento não brota do pó, e as dificuldades não nascem do chão. No entanto, o homem nasce para as dificuldades tão certamente como as fagulhas voam para cima" (Jó 5.6-7). O que fazer, então, enquanto a aflição não vai embora? Murmurar, revoltar-se, brigar com Deus? A história do povo de Israel em sua peregrinação pelo deserto prova que esse não é um caminho muito produtivo.

O que devemos fazer é procurar entender verdades da vida espiritual que nos ajudarão a suportar a dor durante os momentos de angústia. Assim, compreendendo racionalmente as realidades bíblicas, conseguiremos aguentar firmes e tolerar a tribulação enquanto ela não termina.

Este é justamente o duplo objetivo deste livro: dar a você refrigério durante o período de sofrimento, mas também ajudá-lo a aprender com ele.

O título da obra reflete essa ideia. *O fim do sofrimento* fala daquilo que *nós* mais ansiamos quando estamos em pleno processo de sofrimento, que é o seu *fim* — no sentido de extinção, término, chegada ao ponto final. Mas, igualmente, remete àquilo que *Deus* mais anseia quando permite que soframos, que é o seu *fim* — no sentido de finalidade, propósito, aquilo que se deseja alcançar. De modo geral, nós, os sofredores, nos preocupamos bem mais com o fim (término) das dores; o Senhor, por sua vez, se importa bem mais com o fim (finalidade) delas. É possível conciliar ambos? Sim, e é o que desejo mostrar nas páginas a seguir.

Este livro se estrutura em torno de trinta afirmações que pessoas em sofrimento costumam expressar, compiladas de enquetes informais que realizei com centenas de pessoas, ao longo de um ano, por meio de meu *blog* e em igrejas onde preguei ou palestrei. Perguntei a elas qual era a maior queixa que faziam a Deus. Partindo das respostas mais frequentes, proponho uma reflexão embasada em verdades das Escrituras. Ao final da reflexão, você poderá ler passagens bíblicas que visam a fortalecê-lo e orientá-lo nos momentos de angústia — e recomendo que você vá à Bíblia para ver o contexto específico de cada uma delas.

De igual modo, é muito importante ressaltar que o "recado de Deus" na seção *Uma mensagem de esperança* é uma conclusão elaborada do que a Bíblia apresenta como resposta a cada problema discutido, e não uma tentativa de pôr palavras na boca do Senhor. Cada mensagem foi elaborada com temor e tremor, fazendo uso de licença poética para expressar o que entendo ser a posição bíblica acerca da questão abordada. Por fim, convido o leitor a fazer comigo uma oração de gratidão e submissão à vontade do Pai de amor.

Ao longo da leitura deste livro, devemos ter em mente que o mesmo Jesus que foi "um homem de dores e experimentado no sofrimento" (Is 53.3) nunca fez a falsa promessa de que viveríamos isentos de dor, tristeza e angústia de alma, mas nos deu palavras de paz e de ânimo para nos ajudar a suportar e compreender a jornada pelo vale do sofrimento: "Eu lhes disse essas coisas para que em mim vocês tenham *paz*. Neste mundo vocês terão aflições; contudo, tenham *ânimo*! Eu venci o mundo" (Jo 16.33). Palavras de paz. Palavras de ânimo. É exatamente o que quero apresentar a você com este livro, por saber que "O coração ansioso deprime o homem, mas uma palavra bondosa o anima" (Pv 12.25).

Oro a Deus para que os seus sofrimentos e os daqueles a quem você ama cessem o mais rápido possível. Mas, enquanto o processo educativo e terapêutico das lágrimas encontra-se em andamento, permita-me chorar com você que chora e oferecer-lhe minha oração e meu ombro na forma das palavras de encorajamento deste livro. Meu desejo é que elas sejam como um copo d'água que bebemos no meio do deserto e que nos dá um pouco mais de forças até chegarmos ao oásis.

E lembre-se, sempre, da mais importante informação bíblica sobre o sofrimento:

> Tudo isso é para o bem de vocês, para que a graça, que está alcançando um número cada vez maior de pessoas, faça que transbordem as ações de graças para a glória de Deus. Por isso não desanimamos. Embora exteriormente estejamos a desgastar-nos, interiormente estamos sendo renovados dia após dia, pois os nossos sofrimentos leves e momentâneos estão produzindo para nós uma glória eterna que pesa mais do que todos eles. Assim, fixamos os olhos, não naquilo que se vê, mas no que não se vê, pois o que se vê é transitório, mas o que não se vê é eterno.
>
> 2Coríntios 4.15-18

Hoje, não parece. Mas, à luz da eternidade, os nossos sofrimentos são leves e momentâneos. E eles produzirão uma glória eterna que pesa mais do que todos eles. Olhe para o que não vê. Olhe para Deus. Olhe para o céu. Olhe para o que o espera mais à frente. O alívio virá. Enquanto ele não vem, desejo oferecer a você mensagens bíblicas de conforto, fortalecimento, transformação e esperança.

1

ESTOU ATRAVESSANDO O VALE

O SENHOR é o meu pastor; de nada terei falta. Em verdes pastagens me faz repousar e me conduz a águas tranquilas; restaura-me o vigor. Guia-me nas veredas da justiça por amor do seu nome. Mesmo quando eu andar por um vale de trevas e morte, não temerei perigo algum, pois tu estás comigo; a tua vara e o teu cajado me protegem. [...] Sei que a bondade e a fidelidade me acompanharão todos os dias da minha vida, e voltarei à casa do SENHOR enquanto eu viver.

SALMOS 23.1-4, 6

Parece nome de filme de terror: *vale de trevas e morte*. Que imagem horripilante. Reúne, em uma só expressão, três conceitos assustadores. *Vale* se refere a um lugar desprotegido, ladeado por altas encostas, onde é fácil ser vítima de uma emboscada. *Trevas* nos lembra do medo mais primitivo do ser humano: o escuro, a impotência diante dos perigos que porventura estejam ocultos a nossos olhos. Quanto à *morte*, bem, dispensa comentários. Então, *vale de trevas e morte* é um lugar pavoroso, que remete a calafrios, vulnerabilidade e terror.

Você já passou por esse lugar? Talvez esteja passando neste exato momento.

Não se trata de um lugar físico. É emocional, psicológico e espiritual. Em algum momento da vida, a maioria das pessoas atravessará esse vale. E precisamos estar preparados para isso, embora ele quase sempre nos envolva quando menos esperamos.

Uns entrarão em suas regiões mais profundas, outros se manterão mais acima; uns ficarão ali muito tempo, outros nem tanto. Você sabe que está nele quando acorda chorando e não vê razão para sair da cama; quando o céu azul é cinza a seus olhos; quando nada parece fazer sentido; quando a tristeza é sua companheira mais frequente; quando viver torna-se comer e dormir — isso se o apetite não desaparece.

Só que aí algo extraordinário acontece.

Deus, por meio do salmo 23, nos revela outra possibilidade. Ele mostra uma mão estendida por entre o desespero que, para quem se encontra em pleno vale de trevas e morte, pode parecer apenas uma miragem a distância. Mas, para quem está em Cristo, essa imagem não é uma ilusão, e sim um vislumbre real do que o aguarda na linha do horizonte.

Para chegar até esse ponto, você precisa dar um passo. Depois, outro. Então, juntar todas as forças para um terceiro. Um quarto vem arrastado e aos soluços. O quinto vem com um gemido. No sexto, os pés nem desgrudam do chão, tão pesados estão. Do sétimo em diante, só Deus sabe como você consegue ir em frente. Mas, quando você menos espera...

Superou um dia...

Depois, outro...

Depois, outro...

Depois, outro...

E, quando você se dá conta, aquele longínquo horizonte está debaixo de seus pés. Os olhos embaçados pelas lágrimas não o deixaram perceber que as encostas sumiram.

Você levanta a cabeça.

O vale de trevas e morte não está mais ali. E onde você está? Que lugar é esse aonde chegou?

O salmo 23 responde: verdes pastagens, junto a águas tranquilas. O local onde seu vigor é restaurado. É quando você consegue respirar fundo, pois sabe que Deus está ao seu lado. Você se dá conta, então, de que a cada dolorido passo de uma ponta à outra do vale de trevas e morte, o milagre da graça aconteceu. Percebe que a bondade e a fidelidade certamente o seguiram por todos os dias de sua vida. E não é a bondade e a fidelidade de qualquer um, mas do Deus amoroso que prometeu estar conosco para sempre (Mt 28.20). Todos os dias. Mesmo naqueles em que você esteve envolto na escuridão, incerto do que vinha à frente.

É então que as lembranças dos dias terríveis se tornam aprendizado. As feridas dos meses de sofrimento passam a ser cicatrizes que doem, mas não sangram mais. Deitado, enfim, nos pastos verdejantes, você se lembra de que, enquanto caminhava pelo vale — sem enxergar direito por causa da escuridão —, só conseguia vislumbrar um único lugar iluminado: o céu acima de sua cabeça, sempre presente e concedendo esperança.

Embora seja o lugar mais arrasador e apavorante que existe na terra, o vale de trevas e morte tem uma função para o reino de Deus. Quando a jornada sombria finalmente chegar ao fim, você se agarrará com todas as forças ao desejo irresistível de habitar para sempre num lugar completamente diferente, cheio de paz e tranquilidade: a casa do Senhor.

Se você, neste exato momento de sua vida, atravessa o vale de trevas e morte, saiba que, ao final dele, verdes pastagens o esperam. Águas tranquilas. Vigor. Não tema mal algum, pois Jesus está com você a cada passo. E, quando terminar a travessia, nunca se esqueça de habitar na casa daquele que esteve com você todos os dias.

Uma mensagem de esperança

Se você diz:
— *Estou atravessando o vale...*

Deus tem um recado para você:
— *Estou ao seu lado, e o levarei a verdes pastagens e a águas tranquilas.*

Para sua meditação

Tu és a minha lâmpada, ó SENHOR! O SENHOR ilumina-me as trevas. [...] É Deus quem me reveste de força e torna perfeito o meu caminho.

2Samuel 22.29,33

Mesmo que eu diga que as trevas me encobrirão, e que a luz se tornará noite ao meu redor, verei que nem as trevas são escuras para ti. A noite brilhará como o dia, pois para ti as trevas são luz.

Salmos 139.11-12

Então Jesus afirmou de novo: "[...] Eu sou a porta; quem entra por mim será salvo. Entrará e sairá, e encontrará pastagem".

João 10.7,9

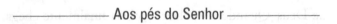
Aos pés do Senhor

Pai amado, obrigado pela certeza de que, mesmo em meio ao vale que atravesso, tu caminhas comigo. Fortalece-me para que eu consiga dar os passos necessários a fim de atravessar este lugar tenebroso. Peço que renoves minhas forças a cada manhã, de modo que eu chegue de cabeça erguida às verdes pastagens, junto a águas tranquilas, onde meu vigor enfim será restaurado. Clamo pelo milagre da graça, na confiança de que a tua bondade e a tua fidelidade certamente me seguirão por todos os dias da minha vida. Meu desejo é que as lembranças dos momentos maus que tenho enfrentado se tornem aprendizado e, no futuro, me capacitem a encorajar outros que venham a atravessar o vale onde hoje me encontro. Senhor Deus, que eu possa habitar na tua casa para sempre. Em nome de Jesus. Amém.

2

TUDO ESTÁ MAL

[Deus] faz coisas grandiosas, acima do nosso entendimento.

Jó 37.5

O que devemos fazer quando tudo está mal? Por mais estranho que soe, o caminho é fazer o contrário do que dá vontade.

Como assim?

Viver o evangelho é nadar contra a correnteza. Logo, quando a vontade é reclamar, a proposta da cruz é: "Deem graças em todas as circunstâncias, pois esta é a vontade de Deus para vocês em Cristo Jesus" (1Ts 5.18). Devemos sempre ler a Bíblia com atenção nos menores detalhes. No caso, leve em conta a palavra *todas*. Se a questão é dar graças em *todas* as circunstâncias, o que Paulo nos ensina é que devemos ser gratos a Deus *também* quando as coisas vão mal.

Estranho, não é? Mas, se pararmos para pensar, o evangelho é mesmo um pouco "esquisito". Deus se fazendo homem? O Criador se voluntariando para sofrer por quem não merece? O Todo-poderoso perdoando assassinos, ladrões e corruptos? Quem entende? Contudo, quando refletimos em que "Deus age em todas as coisas para o bem daqueles que o amam" (Rm 8.28), começamos a perceber que, mesmo quando as circunstâncias são más, *tudo* visa ao nosso bem.

"[Deus] faz coisas grandiosas, acima do nosso entendimento" (Jó 37.5). Acima do nosso entendimento, por exemplo, está o fato de que as tribulações podem gerar benefícios. O apóstolo Paulo diz que não nos gloriamos somente na esperança da glória de Deus, "mas também nos gloriamos nas tribulações, porque sabemos que a tribulação produz perseverança; a perseverança, um caráter aprovado; e o caráter aprovado, esperança" (Rm 5.3-4). Ou seja, quando tudo vai mal, Deus está fazendo crescer em nós perseverança, caráter aprovado e esperança. É o que diz a Bíblia.

Mas o que podemos fazer *enquanto* tudo vai mal? É o próprio Paulo quem nos diz: "Alegrem-se na esperança, sejam *pacientes* na tribulação, perseverem na oração" (Rm 12.12). A paciência é um dos segredos. E "paciência", nas acepções do dicionário, é: a) a capacidade de tolerar contrariedades, dissabores, infelicidades; b) o sossego com que se espera uma coisa desejada.*Assim, o cristão que tem fé demonstra tolerância com os problemas, permanece sossegado na adversidade e espera pacientemente Deus decretar o fim do período de provações.

Se a atitude do cristão é fazer o contrário do que dá vontade, logo, na pobreza devemos doar. Na tristeza, louvar. No choro, agradecer. No sofrimento, adorar. Na decepção com o próximo, amar. E, sempre, com uma certeza:

> Tudo isso é para o bem de vocês, para que a graça, que está alcançando um número cada vez maior de pessoas, faça que transbordem as ações de graças para a glória de Deus. Por isso não desanimamos. Embora exteriormente estejamos a desgastar-nos, interiormente estamos sendo renovados dia após dia, pois os nossos sofrimentos leves e momentâneos estão produzindo para nós uma glória eterna que pesa mais do que todos eles. Assim, fixamos os olhos, não naquilo que se vê, mas no que não se vê, pois o que se vê é transitório, mas o que não se vê é eterno.
>
> 2Coríntios 4.15-18

* "Paciência", em Dicionário Priberam da Língua Portuguesa, disponível em: <http://www.priberam.pt/dlpo/paciencia>. Acesso em 5 de dezembro de 2014.

Fazemos festas surpresa para quem amamos, damos presentes fora de datas especiais para entes queridos, deixamos bilhetinhos carinhosos para nosso cônjuge. Eles não sabem que serão surpreendidos. Mas nós sabemos. Deus também gosta de nos fazer surpresas. E elas virão. Hoje, tudo vai mal. Amanhã, a surpresa nos espera. Ainda que o futuro esteja acima de nosso entendimento, confiamos que Deus fará coisas grandiosas, que atuam para o nosso bem. Pois "olho nenhum viu, ouvido nenhum ouviu, mente nenhuma imaginou o que Deus preparou para aqueles que o amam" (1Co 2.9).

Uma mensagem de esperança

Se você diz:
— *Tudo está mal...*

Deus tem um recado para você:
— *Tudo coopera para o bem daqueles que amo.*

Para sua meditação

Tu me cercas, por trás e pela frente, e pões a tua mão sobre mim. Tal conhecimento é maravilhoso demais e está além do meu alcance; é tão elevado que não o posso atingir.

Salmos 139.5-6

Não abram mão da confiança que vocês têm; ela será ricamente recompensada. Vocês precisam perseverar, de modo que, quando tiverem feito a vontade de Deus, recebam o que ele prometeu.

Hebreus 10.35-36

Irmãos, tenham os profetas que falaram em nome do Senhor como exemplo de paciência diante do sofrimento. Como vocês sabem, nós consideramos felizes aqueles que mostraram perseverança. Vocês ouviram falar sobre a perseverança de Jó e viram o fim que o Senhor lhe proporcionou. O Senhor é cheio de compaixão e misericórdia.

Tiago 5.10-11

Aos pés do Senhor

Pai amado, ajuda-me a fazer o contrário do que sinto vontade quando as coisas andam mal. Que eu te dê graças quando me sentir inclinado a reclamar, e isso em todas as circunstâncias. Faze-me ter tolerância com os problemas, sossego na adversidade, generosidade na pobreza, gratidão em meio às lágrimas, amor na decepção com o próximo. Obrigado pela certeza de que tu ages em todas as coisas para o meu bem. Conduze-me com tua santa mão ao ponto em que eu seja capaz de gloriar-me nas tribulações, por saber que elas produzem perseverança, caráter aprovado e esperança. Concede-me paciência na dificuldade. E obrigado, querido Senhor, pela esperança de que meus olhos verão e meus ouvidos ouvirão tudo aquilo que tens preparado em segredo para mim. Peço-te tudo isso em nome de Jesus. Amém.

3

ESTOU DEPRIMIDO

Elias teve medo e fugiu para salvar a vida. Em Berseba de Judá ele deixou o seu servo e entrou no deserto, caminhando um dia. Chegou a um pé de giesta, sentou-se debaixo dele e orou, pedindo a morte: "Já tive o bastante, SENHOR. Tira a minha vida".

1REIS 19.3-4

Você está enfrentando o deserto da depressão neste exato momento? E, para piorar, não consegue entender por que o Senhor permitiu que essa sequidão tenha vindo sobre a sua vida? A boa notícia é que algo bom pode brotar desse solo árido. A notícia não tão agradável é que pode levar algum tempo. Não espere fórmulas mágicas. Cada caso é um caso, e não há uma única saída que funcione para todos. Prometer algo como "sete passos para superar a depressão" seria propaganda enganosa. Mas, à luz da Bíblia, é possível afirmar que a depressão que o acomete pode ser usada em seu favor.

Há dois tipos principais de depressão. O primeiro é uma doença, causada por alterações químicas no cérebro, e deve ser tratada com medicamentos indicados por um psiquiatra. Buscar ajuda profissional não é pecado, muito menos falta de fé — é como tomar remédio para dor de cabeça: simplesmente há uma disfunção no organismo que necessita de substâncias químicas que a solucionem. Não é sobre essa forma de depressão que quero abordar, pois é um caso médico. Quero lidar com o segundo tipo de depressão que é, em outras palavras, o profundo abatimento de alma, consequência de circunstâncias da vida que causam forte impacto sobre nosso estado emocional.

A esse respeito, temos de entender uma realidade bíblica. É, sim, possível que um servo de Deus fique deprimido durante tempos de dificuldade em sua vida. Veja o exemplo de Elias. O profeta era tão íntegro e fiel ao Senhor que foi arrebatado ao céu num carro de fogo (2Rs 2.11). Ainda assim, infelizmente há quem acredite que a caminhada com Jesus e a depressão são incompatíveis. Afirmam até mesmo que é falta de fé. Muitos cristãos chegam a sofrer discriminação por estarem deprimidos. E isso está errado. A Bíblia relata diversos casos de homens e mulheres de Deus que passaram por períodos de profundo abatimento, como Ana (1Sm 1.9-16), Esdras (Ed 9.1-4), Jó (Jó 1—42) e, até mesmo, Jesus (Mc 14.34). O mesmo ocorreu com grandes homens de fé ao longo da história da Igreja, como Charles Spurgeon, que viveu décadas em depressão por causa de sua saúde frágil e a da esposa. E nenhum deles tinha uma fé pequena.

Ao ler a Bíblia, fica claro para mim que a depressão pode ser usada por Deus para nos educar. Embora ela seja indesejável, é inegável que podemos aprender muito ao vivenciá-la. Quando o povo da fé se abate, Deus trabalha profundamente em nosso caráter e em nossa espiritualidade. Estar deprimido não é motivo para se considerar menos espiritual, como se o cristão tivesse a obrigação de viver sorrindo artificialmente a toda hora. A depressão simplesmente mostra quão dependentes somos da graça de Deus. Se você está deprimido e sem forças, não é porque não tem fé, mas porque está na escola de Deus — o Senhor lhe está ensinando lições importantíssimas. Todo barro, para ser modelado, precisa ser amassado pelo oleiro.

Caso você esteja enfrentando a depressão, não se culpe. E jamais permita que o façam sentir-se culpado. Você não é. Muitos podem julgá-lo sem saber o que se passa em sua alma ou que circunstâncias de vida o levaram a esse ponto — e, como os amigos de Jó, vão dizer que a culpa é sua. Os Elifazes, Bildades e Zofares ao seu redor vão lhe dizer palavras de acusação, mas não deixe que elas minem as esperanças de seu coração. Sua resposta deve ser sempre a de Jó: "Aceitaremos o bem dado por Deus, e não o mal?" (Jó 2.10).

Embora a depressão seja uma condição ruim e indesejável, a Bíblia mostra que, dependendo de como nos posicionamos diante dela, pode promover um estado de espírito que tem grande poder terapêutico sobre a alma. Mais uma vez, não me refiro à depressão que é uma doença física, mas àquele estado de alma em que somos cuidados, moldados, lapidados e aperfeiçoados por Deus. É quando nos sentimos tão impotentes e desamparados que nos aproximamos de Cristo com humildade por enxergar nele a única fonte de socorro.

E, quando a depressão vier para os outros, não cometa os erros que cometeram com você: não acuse, não julgue — pois você não sabe o que eles vivenciaram e vivenciam. Simplesmente dê amor e amparo, pois é disso que um cristão que atravessa uma fase depressiva precisa até que ela acabe. Ao final da depressão de Elias, o Espírito Santo enviou um anjo para sacudi-lo e revelar que Deus havia decretado o fim daquele período e o início de uma nova etapa: "Levante-se e coma, pois a sua viagem será muito longa" (1Rs 19.7). E esse é o mesmo Elias que, pouco antes de seu abatimento, ouviu dos lábios da viúva de Sarepta: "Agora sei que tu és um homem de Deus e que a palavra do Senhor, vinda da tua boca, é a verdade" (1Rs 17.24).

Se você está passando por um processo de depressão, aproxime-se daqueles que lhe dão amor. Continue na jornada com Deus. Chore quanto for preciso. Esqueça as cartilhas pré-fabricadas de felicidade e as frases feitas. Lembre-se da beleza que existe no fato de que você é único e que a graça cuidará de você de forma única.

Deus conhece você pelo nome. Ele sabe onde dói a sua dor. Por isso, seu Pai entende totalmente sua tristeza e pode ajudá-lo plenamente. Assim que você sair do deserto da depressão, levante-se e coma — com todo o aprendizado obtido na escola de Deus —, pois a sua viagem será muito longa.

Uma mensagem de esperança

Se você diz:
— *Estou deprimido...*

Deus tem um recado para você:
— *Estou ao seu lado. E, quando chegar a hora, levante-se e coma, pois a sua viagem será muito longa.*

Para sua meditação

Das alturas estendeu a mão e me segurou; tirou-me de águas profundas.

2Samuel 22.17

Busquei o Senhor, e ele me respondeu; livrou-me de todos os meus temores. Os que olham para ele estão radiantes de alegria.

Salmos 34.4-5

Clamo a ti, Senhor, e digo: Tu és o meu refúgio; és tudo o que tenho na terra dos viventes. Dá atenção ao meu clamor, pois estou muito abatido [...]. Então os justos se reunirão à minha volta por causa da tua bondade para comigo.

Salmos 142.5-7

Aos pés do Senhor

Pai amado, estou profundamente abatido pela depressão. Não tenho ânimo para coisa alguma, a vida parece não fazer sentido. Às vezes sinto vontade de desistir. Contudo, em meio ao que tenho vivido, encontro alento em saber que não estou deprimido por minha fé ser pequena. Afasta de mim aqueles que chegam com palavras acusadoras, como se a depressão que enfrento fosse culpa minha ou fruto de deficiências em minha fé. Sei que muitos dos teus escolhidos passaram pelo que estou passando, e isso me dá esperança. O que estou vivendo é ruim, mas agradeço por saber que posso aprender importantes lições, as quais podem transformar meu caráter, minhas emoções e minha vida espiritual. Sou apenas humano e dependo da tua graça. Cuida de mim, molda-me, lapida-me e aperfeiçoa-me. Estou impotente e desamparado, por isso clamo a ti com humildade, pois sei que és a minha fonte de socorro. Obrigado, Senhor, pela certeza de que minha viagem ainda será muito longa. Amém.

4

NÃO CONSIGO MAIS SORRIR

Não se entristeçam, porque a alegria do SENHOR os fortalecerá.
NEEMIAS 8.10

Há momentos na vida em que não conseguimos mais sorrir. A tristeza nos abate, e o sorriso se torna uma lembrança distante. Nessas horas, é importante saber uma realidade: Deus sorri.

Não, a Bíblia não afirma isso com todas as letras. Não há um versículo específico onde se leia "Jesus sorriu", ou algo do gênero. Mas existem verdades que estão claramente subentendidas nas Escrituras, e creio que o sorriso divino é uma delas. É algo como o conceito da Trindade — não há uma afirmação explícita no cânon sagrado acerca dessa doutrina, mas ela permeia toda a Palavra de Deus. O sorriso do Senhor, no meu entendimento, também é uma verdade bíblica. Por quê? Explico.

Paulo revela que uma das virtudes do fruto do Espírito Santo é a alegria. "O fruto do Espírito é amor, alegria, paz, paciência, amabilidade, bondade, fidelidade, mansidão e domínio próprio" (Gl 5.22-23). Todas essas são características divinas que fluem do Senhor para aqueles que estão ligados a ele, assim como a seiva corre pelo tronco de uma árvore até chegar a seus ramos. "Eu sou a videira; vocês são os ramos. Se alguém permanecer em mim e eu nele, esse dará muito fruto" (Jo 15.5). Um Deus triste não faria brotar em seus filhos algo que fosse diferente de sua natureza. Seria impossível.

Logo, se Deus faz brotar alegria em quem está ligado a ele, Deus é alegre.

E como você identifica alguém que está alegre? A resposta é evidente: pelo sorriso. A alegria gera sorrisos. Quando você diz que alguém "vive alegre", na verdade o que está dizendo é que aquela pessoa está sempre sorrindo. O que, aliás, é bíblico: "A alegria do coração transparece no rosto, mas o coração angustiado oprime o espírito" (Pv 15.13).

Conclusão: se do Espírito Santo flui alegria, ele é alegre. E se Deus é alegre... ele sorri.

Essa realidade tem alguma implicação? Sim, tem. Olhar para o Senhor e saber que ele não é um Deus carrancudo e mal-humorado muda totalmente a percepção que temos de seu caráter. Um deus de expressão grave tem graça limitada, ama pouco, é ávido por castigar e punir. Um deus de cenho carregado está pouco preocupado em perdoar, restaurar e reconstruir. Um deus triste não se importa com a tristeza de seus servos, pois a considera natural. Mas o Deus que sorri não. Ele olha para o perdido e quer lhe conceder a "alegria da salvação" (Sl 51.12). O Deus que sorri deseja ver sorrisos no rosto daqueles que lhe pertencem, pois é assim que ele é. Ser feito à imagem e à semelhança do Deus que sorri indica que o Senhor almeja que nós também venhamos a sorrir. A tristeza, portanto, não é o estado inicial ou desejável do ser humano, mas uma consequência do pecado original. É uma distorção.

O Deus que sorri tem enorme prazer em estender sua graça, perdoar pecados, restaurar vidas, prover amor. A parábola do filho pródigo é extremamente reveladora sobre esse aspecto da natureza divina. Observe as palavras que o pai diz a seus servos quando o filho arrependido retorna para seus braços: "'Vamos fazer uma festa e alegrar-nos. Pois este meu filho estava morto e voltou à vida; estava perdido e foi achado'. E começaram a festejar o seu regresso" (Lc 15.23-24). Atenção para o que Jesus diz nesse relato (duas vezes, aliás): "fazer uma festa" e "festejar". Será que essas expressões foram escolhidas à toa? Será que Cristo as utilizou por acaso? Ou teria sido uma opção bem pensada? A parábola mostra que a restauração do pecador leva o Pai a festejar. E quem festeja fica de rosto entristecido ou sorri? A resposta é evidente: só festeja de coração quem está inundado de alegria.

Deus sorri. Deus se alegra. E a nossa relação com Deus faz que ele festeje e abra um sorriso de orelha a orelha — simbolicamente, é claro.

Creio que passaremos a eternidade sorrindo ao lado de um Deus que sorri. Jesus deixou claro que o céu é um lugar onde há muita alegria: "Eu lhes digo que, da mesma forma, há alegria na presença dos anjos de Deus por um pecador que se arrepende" (Lc 15.10). Os anjos sorriem. Deus sorri. Na vida eterna, sorriremos. O apóstolo João descreve muito bem a realidade:

> Ouvi uma forte voz que vinha do trono e dizia: "Agora o tabernáculo de Deus está com os homens, com os quais ele viverá. Eles serão os seus povos; o próprio Deus estará com eles e será o seu Deus. Ele enxugará dos seus olhos toda lágrima. Não haverá mais morte, nem tristeza, nem choro, nem dor, pois a antiga ordem já passou".
>
> Apocalipse 21.3-4

O que isso revela? Que no céu não haverá tristeza. Não haverá choro. Não haverá dor.

Logo, no céu haverá sorrisos. Dos anjos. De Deus. E os seus.

E, se o céu é a expressão máxima da realidade do reino de Deus, no momento em que você é justificado por Cristo, passa a fazer parte do reino. E respingos dessa realidade final começam a nos tocar *nesta* vida. Portanto, a alegria de pertencer ao reino de Deus já está ao seu alcance.

Na cruz, Jesus estava triste, a alma abatida até a morte. Mas, na ressurreição, sorriu — vitorioso. E creio que ele permanece sorrindo, e permanecerá até o fim dos tempos. E sorrindo para você. Seria isso motivo para você sorrir também?

Uma mensagem de esperança

Se você diz:
— *Não consigo mais sorrir...*

Deus tem um recado para você:
— *Estou sorrindo para você, pois sei que o sorriso voltará ao seu rosto.*

Para sua meditação

Os meus lábios gritarão de alegria quando eu cantar louvores a ti, pois tu me redimiste.

Salmos 71.23

O Senhor, o seu Deus, está em seu meio, poderoso para salvar. Ele se regozijará em você; com o seu amor a renovará, ele se regozijará em você com brados de alegria.

Sofonias 3.17

Alegrem-se sempre no Senhor. Novamente direi: Alegrem-se!

Filipenses 4.4

Aos pés do Senhor

Pai amado, ultimamente tem sido difícil sorrir. A tristeza me abateu, e o sorriso deixou meu rosto. Mas eu sei que tu tens alegria em tua essência e concedes alegria àqueles que recebem teu Espírito. Sou um ramo na Videira que é teu Filho, por isso creio que o fruto da alegria pode brotar em mim. Obrigado por me fazeres saber que não és um Deus carrancudo e mal-humorado. Sei que tu te importas com a minha tristeza e que desejas me conceder a "alegria da salvação". Sou agradecido pela tua graça, pelo perdão de meus pecados, pela restauração que vem de ti e pelo amor que derramas em minha vida. Não tenho dúvidas de que passarei a eternidade sorrindo ao teu lado, sem tristeza nem choro, sem sofrimento nem dor. Mas peço, Senhor, que a alegria de ser um cidadão do céu se manifeste, ainda que brevemente, em minha vida terrena. Tenho motivos de sobra para sorrir, mas o peso da jornada me tem roubado o sorriso do rosto. Devolve-me o sorriso, Pai. É o que clamo a ti, em nome de Jesus. Amém.

5

TENHO MUITAS TRISTEZAS

Alegre-se o coração dos que buscam o SENHOR.

SALMOS 105.3

Como acabamos de ver, o fruto do Espírito Santo tem, entre suas nove virtudes, *alegria* (Gl 5.22-23) — o estado emocional de viva satisfação, regozijo e júbilo. Ao tomarmos conhecimento disso, podemos ter a sensação de que seguir Cristo significa ser constantemente alegre. O problema é que, além de isso não ser verdade, se pensamos dessa maneira, fica muito difícil conviver com a tristeza. Pois, se cremos numa alegria sem fim, como imaginaríamos ser possível um cristão viver triste por longos períodos?

A verdade é que Jesus jamais prometeu que seríamos alegres o tempo todo nesta vida. Se alguém garante uma alegria interminável na terra, pode ter certeza de que é uma promessa que não se cumprirá. Abraçar o evangelho implica negar a si mesmo, tomar a sua cruz diariamente e seguir Cristo (Lc 9.23). Todos os salvos terão momentos de dor, aflição, luto e... tristeza. Isso é claro e certo. É um fato bíblico e um fato da vida.

Assim, vivemos o que parece ser uma contradição: temos o Espírito de Deus em nós, ele manifesta seu fruto em nossa vida, seu fruto inclui alegria, mas, estranhamente, vivemos momentos de profunda tristeza. Isso tem explicação? Tem sim.

Jesus não foi alegre o tempo todo. Pedro não foi alegre o tempo todo. João não foi alegre o tempo todo. Paulo não foi alegre o tempo todo. Nenhum dos apóstolos foi alegre o tempo todo. Os mártires da Igreja primitiva não foram alegres o tempo todo. Lutero não foi alegre o tempo todo. Calvino não foi alegre o tempo todo. Eu não sou alegre o tempo todo. Você não é alegre o tempo todo. Ninguém é alegre o tempo todo.

O que tudo isso tem em comum?

O tempo todo.

Esse é o centro da questão. O fruto do Espírito inclui virtudes como paz, paciência e domínio próprio, por exemplo, mas ninguém tem paz o tempo todo, nem é paciente o tempo todo, tampouco se domina o tempo todo. O grande problema é, assim, associar a crença em Jesus à manifestação constante e ininterrupta dessas virtudes. Elas se manifestarão, sim. Mas não o tempo todo.

Ao longo da vida, chega por todos os lados a ideia de que viver é estar 24 horas por dia encharcado de endorfina, desfrutando cada segundo numa ascendente de emoção, euforia e prazer. Assim, uma vida bem vivida seria como estar de domingo a domingo em um parque de diversões: pura alegria! Só que, sejamos realistas: não é bem o que acontece.

Toda e qualquer pessoa vive altos e baixos. Todos têm picos de humor, seguidos de momentos de tristeza. Isso já era previsto. Não é agradável, mas é previsível. O problema é que nos dizem que temos de estar sempre, sempre e sempre alegres! Não tem como não entrar numa crise diante disso. Pensamos: "Todos dizem que uma vida plena é marcada por uma alegria sem fim, mas isso não acontece comigo. Logo, minha vida é um horror, e minha fé, um fracasso".

Não é verdade!

Se você vive uma existência marcada pela alternância de momentos alegres e tristes, isso prova apenas que você é humano. A certeza da presença de Cristo conosco, junto com a segurança de que ele jamais remove seus olhos de nossa vida... eis a razão maior de nossa alegria! E alegria eterna, que independe das circunstâncias da vida! É por isso que somos chamados a dar "graças em todas as circunstâncias, pois esta é a vontade de Deus para vocês em Cristo Jesus" (1Ts 5.18).

Por isso, mesmo nos momentos de mais desesperante tristeza, essa alegria que flui do Espírito de Deus para nós estará presente. Parece contraditório? Acredite, não é. É uma alegria não explosiva, mas pacífica. Calma. Serena. É uma brisa, e não um vendaval. Não é sair saltando de euforia como qualquer pessoa numa noite de farra — é um suave sorriso. Aquela alegria que nos faz suspirar em meio às lágrimas.

Não busque a alegria segundo o mundo. A alegria segundo o mundo é aquela que demonstramos com os dentes, em sorrisos muitas vezes ensaiados. Já a alegria que é fruto do Espírito é aquela que sobe do coração como incenso leve e suave. Pois é nas horas mais terríveis que ouvimos estas palavras serem sussurradas em nosso ouvido: "Alegrem-se à medida que participam dos sofrimentos de Cristo, para que também, quando a sua glória for revelada, vocês exultem com grande alegria" (1Pe 4.13).

Você ainda terá muita alegria. Mas não o tempo todo. A tristeza dará as caras de vez em quando. Talvez, no momento em que lê este livro, você esteja triste. O Espírito Santo, porém, o alegrará muitas e muitas vezes, frutificando em sua lembrança que Jesus é com você e lhe dá a vida eterna. Afinal, como já vimos, "os nossos sofrimentos leves e momentâneos estão produzindo para nós uma glória eterna que pesa mais do que todos eles" (2Co 4.17).

A alegria humana passa. A alegria divina dura para sempre. E ela está ao seu alcance — basta viver dia após dia aos pés de Jesus.

Uma mensagem de esperança

Se você diz:

— *Tenho muitas tristezas...*

Deus tem um recado para você:

— *Eu tenho alegria para compartilhar com você.*

Para sua meditação

Tu me farás conhecer a vereda da vida, a alegria plena da tua presença, eterno prazer à tua direita.

Salmos 16.11

Satisfaze-nos pela manhã com o teu amor leal, e todos os nossos dias cantaremos felizes.

Salmos 90.14

Sim, coisas grandiosas fez o Senhor por nós, por isso estamos alegres.

Salmos 126.3

Aos pés do Senhor

Pai amado, estou triste. Sei que a tua Palavra não nos promete alegria constante, tampouco sem fim. Sei que ninguém é alegre o tempo todo, e também estou ciente de que abraçar o evangelho implica negar a mim mesmo, tomar a minha cruz diariamente e seguir Cristo. Não me deixo enganar por falsas promessas de uma alegria sem limites, muito menos pelo ensino mundano de que viver é estar sempre cheio de emoção, euforia e prazer. Ainda assim, clamo por socorro, pois o fardo tem sido pesado demais. Peço que a certeza da presença de Cristo, junto com a segurança de que ele jamais remove seus olhos de minha vida, me sustente durante esta fase ruim. Não quero a alegria segundo o mundo, mas a que é fruto do Espírito. Graças te dou! Louvo o teu nome, porque o meu amor por ti independe das circunstâncias. Oro a ti, em nome de Jesus. Amém.

6

MINHA VIDA ESTÁ UMA TEMPESTADE

Passada a tempestade, o ímpio já não existe, mas o justo permanece firme para sempre.

PROVÉRBIOS 10.25

Já descobrimos realidades importantes sobre a alegria que provém de Deus, como parte do fruto do Espírito (Gl 5.22-23). Agora vamos nos aprofundar um pouco mais no pensamento sobre esse fruto. Reflitamos em suas nove virtudes: amor, alegria, paz, paciência, amabilidade, bondade, fidelidade, mansidão e domínio próprio. O fruto do Espírito é a assinatura da presença de Deus no cristão. Acontece que olhamos para dentro de nós e vemos a falta de tantas dessas virtudes! Significa que não somos salvos? Significa que somos vazios de Deus? Ou que o fruto brota de modos que não entendemos? Vamos meditar sobre isso.

A Bíblia não fala de "árvore" do Espírito, mas de "fruto", algo que brota porque corre seiva na árvore. Logo, não é causa; é consequência. De igual modo, frutas não nascem prontas: começam com um pontinho, que vai crescendo, crescendo e crescendo até alcançar a maturidade. E, nesse processo, enfrenta muitas intempéries. Tempestades. Vendavais. O calor escaldante do sol. Mas já reparou que, sem a água das tempestades, o fruto morre? Que sem o ar dos vendavais não há a transformação de gás carbônico em oxigênio, o que mantém viva a planta? E que o lado da maçã exposto ao sol sempre fica mais vermelho? Sim, é graças às intempéries sofridas ao longo de seu desenvolvimento que o fruto torna-se viçoso, suculento, preparado... vivo.

Quando o Espírito passa a habitar em nós, creio que ele semeia a boa semente do seu fruto. Não faz que brote automaticamente, mas a deposita em nossa alma. Já a carregamos desde o dia em que Cristo nos estende sua graça. Mas, se isso é assim, então por que há tantos cristãos que não exibem as virtudes do fruto do Espírito? Por que, em tantos momentos, saio de tal modo dos trilhos a ponto de não me reconhecer? Se a seiva corre, por que o fruto não é tão visível?

Faltaram as intempéries. Faltou o vendaval da vida. Faltaram as tempestades, com raios e trovoadas. Faltou o sol escaldante dos momentos de deserto. É nessas horas que vejo Deus trabalhar com mais ênfase do que em qualquer outro momento. É quando vejo o fruto brotar com mais vigor. E, quando chegam as dificuldades, a forma com que lidamos com elas vai nos tornar amargos ou melhores — temos a capacidade de decidir. Virtudes latentes em mim só brotaram e se desenvolveram quando passei pelas aflições. Será que você identifica esse fato também na sua vida?

Não amei abnegadamente até que aprendi a dor da falta de amor. Não valorizei de fato a alegria até que vivenciei esmagadoras tristezas. Não entendi a importância de promover a paz até presenciar o ódio. Não tive paciência até descobrir que há coisas que absolutamente não dependem de mim. Não fui verdadeiramente amável até que em solidões profundas precisei de mãos estendidas e abraços honestos. Não fui bom até que sentisse na carne as consequências da maldade. Não fui fiel a Deus até que dependi totalmente do invisível. Não fui manso até que a ira mostrou suas garras. Não tive domínio próprio até que meus descontroles me prejudicassem.

Tempestades. Vendavais. Sol fustigante. Dores terríveis, bênçãos celestiais. Indesejáveis e bem-vindos. Quero distância como homem, mas preciso enquanto espírito. Se desejo ter em mim o fruto do Espírito Santo, preciso do que não quero. Não que busque, mas, quando chega, recebo com fé, sabendo que "Deus age em todas as coisas para o bem daqueles que o amam, dos que foram chamados de acordo com o seu propósito" (Rm 8.28).

E lembre-se: Jesus acalma a tempestade. Com uma palavra de sua boca, os ventos cessam, as ondas amansam e o sol brilha. Já disse o salmista: "Na sua aflição, clamaram ao SENHOR, e ele os tirou da tribulação em que se encontravam. Reduziu a tempestade a uma brisa e serenou as ondas. As ondas sossegaram, eles se alegraram, e Deus os guiou ao porto almejado" (Sl 107.28-30).

Creio que o Espírito Santo é um semeador. Põe no solo árido de nossa alma a semente de suas virtudes e espera vir a chuva, o vento, o sol — a dor. E isso demora. Por vezes, anos. Por vezes, décadas. Muitos partem desta vida sem que todo o fruto tenha amadurecido. A maioria de nós, aliás. As dificuldades da jornada fizeram que algumas sementes brotassem em mim — com certeza, em você também. Certas virtudes estão maduras, outras verdes, algumas ainda inertes. Mas o que consola é que a semente foi plantada. Pois essa é a maior prova de que, a despeito de sermos o pó que somos, Deus se agradou de escrever nosso nome no livro da vida. Sua seiva corre em nós. O resto? Virá com o tempo, o sofrimento, a superação, a restauração e a graça do Salvador do mundo.

Uma mensagem de esperança

Se você diz:
— *Minha vida está uma tempestade...*

Deus tem um recado para você:
— *Faz parte do seu amadurecimento. E, quando chegar a hora, vou reduzir a tempestade a uma brisa e serenar as ondas.*

Para sua meditação

Passada a tempestade, o ímpio já não existe, mas o justo permanece firme para sempre.

Provérbios 10.25

Tens sido refúgio para os pobres, refúgio para o necessitado em sua aflição, abrigo contra a tempestade e sombra contra o calor.

Isaías 25.4

Portanto, quem ouve estas minhas palavras e as pratica é como um homem prudente que construiu a sua casa sobre a rocha. Caiu a chuva, transbordaram os rios, sopraram os ventos e deram contra aquela casa, e ela não caiu, porque tinha seus alicerces na rocha.

Mateus 7.24-25

Aos pés do Senhor

Pai amado, estou enfrentando uma grande tempestade em minha vida. As coisas andam muito difíceis e, às vezes, penso que não terei forças para me manter de pé. Sei que tu permites que as tormentas venham com a finalidade de sermos moldados e aperfeiçoados. Peço-te que, quando vierem os raios, as trovoadas ou o sol escaldante, tu trabalhes as minhas imperfeições. Ajuda-me a atravessar a tempestade com segurança, para que, no final, eu seja alguém melhor, mais maduro e mais íntimo de ti. Não sei quanto tempo precisarei permanecer nesta tormenta, mas suplico que tu a acalmes o mais rápido possível, segundo os teus propósitos e a tua boa, agradável e perfeita vontade. Serena as ondas, Pai, cessa os ventos e acalma o mar. Que os vendavais se transformem o mais rápido possível em uma brisa suave. É o que te peço, em nome de Jesus. Amém.

7

NÃO TENHO PAZ

Deixo-lhes a paz; a minha paz lhes dou. Não a dou como o
mundo a dá. Não se perturbe o seu coração, nem tenham medo.

João 14.27

A paz não é um artigo supérfluo nem um luxo. Tanto que é uma
das virtudes do fruto do Espírito, o que demonstra sua importância como parte da natureza divina. Isso se confirma quando
Paulo se refere ao Senhor como "o Deus da paz" (Rm 16.20).
A paz de Jesus é um elemento tão fundamental que nos serve
também como árbitro em nossa vida: "Que a paz de Cristo seja
o juiz em seu coração, visto que vocês foram chamados para
viver em paz, como membros de um só corpo" (Cl 3.15).

Os evangelhos nos mostram que, quando Jesus chegava a algum lugar, não desejava às pessoas vida longa, bons ventos, saúde
para dar e vender; ele desejava paz. Veja as palavras do Senhor:

Quando entrarem numa casa, digam primeiro: Paz a esta casa.

Lucas 10.5

Enquanto falavam sobre isso, o próprio Jesus apresentou-se entre eles
e lhes disse: "Paz seja com vocês!".

Lucas 24.36

Ao cair da tarde daquele primeiro dia da semana, estando os discípulos reunidos a portas trancadas, por medo dos judeus, Jesus entrou,
pôs-se no meio deles e disse: "Paz seja com vocês!".

João 20.19

Uma semana mais tarde, os seus discípulos estavam outra vez ali, e Tomé com eles. Apesar de estarem trancadas as portas, Jesus entrou, pôs-se no meio deles e disse: "Paz seja com vocês!".

João 20.26

O mesmo se repete com os apóstolos. Paulo repetidamente deseja paz às pessoas a quem saúda: "O Deus da paz seja com todos vocês" (Rm 15.33). João também reproduz o desejo do Senhor: "A paz seja com você" (3Jo 15). E Pedro termina sua primeira epístola desejando a seus destinatários uma única coisa: "Paz a todos vocês que estão em Cristo" (1Pe 5.14). Até mesmo os anjos proclamam a paz como algo desejável, conforme disse a grande multidão do exército celestial que apareceu aos pastores por ocasião do nascimento de Jesus: "Glória a Deus nas alturas, e paz na terra aos homens aos quais ele concede o seu favor" (Lc 2.14).

O desejo de ter paz é recorrente no coração de Deus. Já vimos que o Filho se dirige a seus amados sempre desejando paz, e que a paz é um dos frutos que o Espírito produz quando habita em nossa vida. Descobrimos que esse também é o desejo do Pai, como quando ele fala ao profeta Daniel: "Não tenha medo, você, que é muito amado. Que a paz seja com você! Seja forte! Seja forte!" (Dn 10.19).

A conclusão de tudo isso é que Deus tem o sincero desejo de que vivamos em paz. Não interessa ao Senhor que a nossa vida seja permeada pela tribulação: quando ela vem, muitas vezes é por um motivo pedagógico — para que aprendamos algo, consertemos nossos erros, cresçamos na fé, caminhemos em santidade. E, assim que a aula divina tiver sido assimilada, Deus concederá a paz a todos aqueles que o buscam; a uns mais cedo, a outros mais tarde. Portanto, se você está sem paz

50 O fim do sofrimento

no coração, deve buscá-la no Senhor. Afinal, seria absolutamente incoerente que aquilo que o Pai, o Filho e o Espírito desejam à humanidade seja contrário à sua soberana vontade. Deus sabe que nem sempre teremos paz, mas tê-la em nós é o estado ideal que ele almeja para seus filhos.

Você está vivendo um momento de sua vida em que perdeu a paz? Se o seu coração está pesado e você tem enfrentado angústias e aflições, se a sua mente está repleta de pensamentos de desânimo, desistência, desesperança e desolação, saiba que o Pai lhe dá por herança uma paz que o nosso entendimento não é capaz de conceber. Isso não é promessa minha; é promessa bíblica:

> Não andem ansiosos por coisa alguma, mas em tudo, pela oração e súplicas, e com ação de graças, apresentem seus pedidos a Deus. E a paz de Deus, que excede todo o entendimento, guardará o coração e a mente de vocês em Cristo Jesus.
>
> Filipenses 4.6-7

Observe o que Paulo escreveu aos filipenses quando disse que uma paz inimaginável lhes guardaria o coração e a mente: que não deveriam andar ansiosos. É uma recomendação para todos. Não andemos ansiosos. Não é o fim. O Deus de paz quer nos conceder a paz. Ele desejou isso quando caminhou pela terra, dois mil anos atrás, e deseja isso hoje, enquanto reina na glória e mantém seus olhos atentos sobre cada um de nós.

Uma mensagem de esperança

Se você diz:

— *Não tenho paz...*

Deus tem um recado para você:

— *Eu lhe darei a paz que excede todo o entendimento.*

Para sua meditação

Tu, Senhor, guardarás em perfeita paz aquele cujo propósito está firme, porque em ti confia.

Isaías 26.3

O Senhor dá força ao seu povo; o Senhor dá a seu povo a bênção da paz.

Salmos 29.11

Ponham em prática tudo o que vocês aprenderam, receberam, ouviram e viram em mim. E o Deus da paz estará com vocês.

Filipenses 4.9

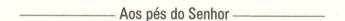

Aos pés do Senhor

Pai amado, meus dias têm sido atribulados, e minha alma não encontra paz. Mas tenho consolo em saber que, aos teus olhos, a paz não é um artigo supérfluo nem um luxo. A tua Palavra me mostra quanto tu desejas que vivamos em paz. É um enorme alento saber que não interessa a ti que a nossa vida seja marcada por tribulações sem fim. Se é preciso que eu passe pelo que estou passando para ser aperfeiçoado, peço-te apenas que me conduzas pela mão até que a paz que excede todo o entendimento tome conta de minha vida. Acredito de que estou vivendo um processo pedagógico, mas tenho certeza de que essa difícil aula terminará e, pela tua graça, serei aprovado com louvor. Busco em ti a paz de que preciso, pois meu coração está pesado. Dou-te graças e entrego-te esses pedidos, em nome de Jesus. Amém.

8

ESTOU INFELIZ

Ele enxugará dos seus olhos toda lágrima. Não haverá mais morte, nem tristeza, nem choro, nem dor, pois a antiga ordem já passou.

APOCALIPSE 21.4

Você já reparou como ninguém gosta de parecer triste em fotografias? Se eu pego uma câmera e aponto para você, qual é sua reação imediata? Deixe-me arriscar: um sorriso. Acertei? O dia pode estar insuportável, mas, se viram uma lente em nossa direção, logo mostramos os dentes. Depois do clique, aquela cara de felicidade obrigatória desmonta num segundo. Curioso isso.

Pegue, por exemplo, um álbum de fotos da vida de alguém. Se você folhear da primeira à última página, vai jurar que a existência daquela pessoa foi um desfile interminável de bons momentos. Sempre sorrindo. Quando a foto é em grupo, então, todos juntam as cabeças e... os sorrisos transbordam! Pelo menos até o fotógrafo dizer "pronto". Aí aqueles rostos sorridentes vão se lembrar das contas a pagar, do casamento em crise, da dor de cabeça que não passa, do tédio e da rotina, da crise econômica, do aquecimento global, do fim do mundo! O que quero dizer é o seguinte: na maioria das vezes, sorrisos em fotos não significam nada, pois não representam uma felicidade real.

Mas... por quê? Por que temos a obrigação de ser felizes 24 horas por dia, 7 dias por semana? Por alguma razão, a infelicidade é vista como uma derrota pessoal. Se você está triste, as pessoas dificilmente vão abraçá-lo em silêncio ou chorar com você, mas dizer frases feitas que tentam impor a felicidade: "Que é isso, levante esse astral!", "Pare com isso, bola pra frente!", "Não reclame de barriga cheia, pense nas criancinhas africanas que estão morrendo de fome!". Palavras que, nessas horas, não servem para nada — ninguém fica feliz de repente só porque alguém chegou e disse: "Não fique triste, não".

Jesus, por sua vez, não gastava muitas palavras para consolar: ele realizava ações concretas para gerar consolo. Sendo ele "um homem de dores e experimentado no sofrimento" (Is 53.3), não precisava forjar uma falsa felicidade e sabia que, mais do que palavras, são as atitudes que contribuem para superar a tristeza.

No Getsêmani, em um momento de extrema infelicidade, vemos Jesus dizer a seus discípulos: "A minha alma está profundamente triste, numa tristeza mortal" (Mt 26.38). Meu Deus... que declaração! De uma honestidade e transparência que em nossos dias seria considerada própria de um derrotado, jamais de um servo de Deus. Afinal, não somos mais que vencedores? Sorria, você é filho do Rei! Sim, mas o próprio Filho do Rei chorou junto ao sepulcro de Lázaro e se sentiu infeliz ao pensar na agonia do cálice — "uma tristeza mortal".

Talvez você também esteja se sentindo profundamente infeliz neste momento de sua vida. Saiba que Jesus entende o que você está enfrentando. Ele também passou por isso.

Podemos considerar os evangelhos o álbum de fotografias de Jesus. Ali estão registrados os principais momentos de seus dias na terra. No álbum de fotos de Jesus, vemos, sim, momentos felizes, como a festa de casamento em Caná, seus muitos encontros com os amigos, a entrada triunfal em

Jerusalém. Mas esse álbum é também o registro de sua humilhação. Ali o vemos sendo ofendido, esbofeteado, chicoteado... crucificado. Com a pele sangrenta totalmente exposta numa cruz, sem ter como cobrir sua vergonha porque as mãos estavam cravadas na madeira. Não, o álbum de fotos do Cordeiro de Deus nunca teve a intenção de simular uma felicidade interminável e constante, mas sim de desnudar a verdade daquele que é a Verdade, para que nós mesmos pudéssemos desnudar a nossa verdade. Diante dos homens e diante do Pai. Seja ela de felicidade, seja de infelicidade. Uma lição para todos nós.

Celebre os momentos de alegria. Isso é vital. Mas jamais deixe de reconhecer seus períodos de infelicidade, pois são muito preciosos. Eles nos fazem refletir, nos levam a mudar de rumo, nos dão a humildade de chegar em oração a Deus e confessar que só nele temos felicidade acima de qualquer circunstância.

Meu desejo sincero é que, no álbum de fotografias de sua vida, haja mais fotos de sorrisos que de lágrimas. Desde que os sorrisos sejam sinceros — a mera contração dos músculos do rosto não atesta um coração alegre. Mas, se as lágrimas vierem, não as esconda por trás de um sorriso forçado. Fotografe-as na lembrança. Quem só quer se lembrar dos momentos felizes está abrindo mão de sua verdade enquanto homem. Assuma seus momentos infelizes. Deixe-os desempenhar o devido papel em sua vida. E jamais se esqueça deles — pelo contrário, ponha-os na melhor moldura que puder.

No jardim das Oliveiras, o coração de Jesus se encheu de infelicidade. A caminho do Calvário, o coração de Jesus se encheu de infelicidade. Suspenso na cruz, o coração de Jesus se encheu de infelicidade. Só que, mais à frente, depois do sofrimento e da crucificação, houve uma sepultura vazia. Lembre-se de que o pão e o vinho são um retrato dessa sepultura. São a lembrança honestamente sorridente da vitória eterna. E é a fotografia desse sepulcro que nos garante uma felicidade que durará por toda a eternidade.

É por isso que, acredito eu, no céu não haverá fotos, pois serão desnecessárias num lugar em que as melhores lembranças da vida terrena não deixarão saudades. No paraíso, caminharemos ao lado de um Deus que enxugará de nossos olhos toda lágrima. Ali não haverá mais morte. Nem tristeza. Nem choro. Nem dor.

Só felicidade.

Uma mensagem de esperança

Se você diz:
— *Estou infeliz...*

Deus tem um recado para você:
— *Eu enxugarei dos seus olhos toda lágrima.*

Para sua meditação

Alegrem-se, porém, todos os que se refugiam em ti; cantem sempre de alegria! Estende sobre eles a tua proteção. Em ti exultem os que amam o teu nome.

Salmos 5.11

O Senhor agrada-se do seu povo; ele coroa de vitória os oprimidos. Regozijem-se os seus fiéis nessa glória e em seus leitos cantem alegremente!

Salmos 149.4-5

O próprio Senhor descerá dos céus, e os mortos em Cristo ressuscitarão primeiro. Depois nós, os que estivermos vivos, seremos arrebatados com eles nas nuvens, para o encontro com o Senhor nos ares. E assim estaremos com o Senhor para sempre. Consolem-se uns aos outros com essas palavras.

1Tessalonicenses 4.16-18

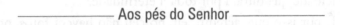

Aos pés do Senhor

Pai amado, estou infeliz. Ajuda-me a reencontrar a verdadeira felicidade. Assim como aconteceu com Jesus, teu Filho, a minha alma está profundamente triste, numa tristeza mortal. Sei que Cristo me entende. Não quero simular uma felicidade que não existe; pelo contrário, quero me derramar diante de ti, com sinceridade de coração. Que meu caráter seja moldado neste momento, e que eu amadureça no decorrer do processo. Conduze-me a um patamar mais elevado, segundo a tua vontade. Depende de ti, pois só em tua presença encontro felicidade acima de qualquer circunstância. Que eu jamais me esqueça destes momentos infelizes, a fim de, no futuro, poder usar minhas lembranças para ajudar o meu próximo e glorificar o teu nome. Obrigado, Pai, pela esperança de que um dia caminharei ao teu lado, sem lágrimas nos olhos nem tristeza no coração — só felicidade. A ti ergo o meu clamor, em nome de Jesus. Amém.

9

ESTOU AFLITO E ANGUSTIADO

Neste mundo vocês terão aflições; contudo, tenham ânimo!
Eu venci o mundo.

João 16.33

Gosto muito de ler as passagens dos evangelhos que falam sobre quando Jesus buscava afastar-se da multidão e abrir espaço
para os pensamentos. Ele seguia, então, para algum monte, algum jardim, um local isolado e de paz. É senso comum que ele
ia a esses lugares para poder orar com mais tranquilidade. Nesses lugares especiais, ele conseguia, imagino eu, desligar-se de
tudo ao redor e ouvir o sussurro de suas vozes mais interiores.
Creio que ele se recompunha, reduzia o ritmo da respiração,
buscava na poesia do silêncio a clareza de pensamentos. Ali,
encontrava sossego em meio às angústias do dia a dia. Esses
lugares aonde Jesus ia têm um nome: *locus amoenus*.

O termo vem do latim e significa *lugar ameno*. Em resumo, é
um elemento da literatura bucólica — ou poesia pastoral —, o
tipo de texto que exalta a vida campestre e a natureza. O *locus
amoenus* seria uma proposta de escape da vida diária, repleta de
valores que têm a ver mais com uma rotina penosa do que com
uma existência plena de significado. Representa a satisfação
pela felicidade e é um símbolo de um estado de espírito onde
reside o amor, a paz e a quietude.

O *locus amoenus* é a representação exterior daquilo que
almejam cultivar no íntimo as pessoas que buscam dar um

passo além da rigidez da vida cotidiana. É uma grande metáfora da alma.

Gosto do silêncio. Valorizo muito os momentos de solitude e reflexão. É a hora de suspirar fundo e ouvir a doce sinfonia do nada. É deitar na rede em uma noite escura, fitar a vastidão do espaço e ficar olhando dentro dos lindos e profundos olhos negros do infinito. O *locus amoenus* pode ser uma praia onde você se senta em uma rocha, ouve o mar acariciar as pedras, vê o sol se pôr e procura deixar o vento ser a única voz a sussurrar em seu ouvido.

Aliás, a única não.

O *locus amoenus* abre em si a possibilidade de ouvirmos com mais clareza a voz de Deus. Nós nos calamos para as coisas vãs da vida e, assim, conseguimos ouvir o suave som da voz divina no espaço vazio que se forma nos sentidos, na mente, no coração.

Você está vivendo aqueles dias em que parece que precisa gritar? Em que a angústia é sua única companheira? Em que sente que necessita de algum modo pôr para fora multidões de sentimentos reprimidos, frases não ditas, lágrimas arquivadas em algum canto da alma? Em que parece que ou você extravasa ou explode? Pois, diante de certas impossibilidades, o *locus amoenus* pode ser uma câmera de descompressão perfeita. Se você não tem um lugar como esse, minha recomendação é que descubra um. Que seja um local para onde, assim como fazia Jesus, você possa se retirar, silenciar, refletir e... sentir.

> Jesus insistiu com os discípulos para que entrassem no barco e fossem adiante dele para Betsaida, enquanto ele despedia a multidão. Tendo-a despedido, subiu a um monte para orar. Ao anoitecer, o barco estava no meio do mar, e Jesus se achava sozinho em terra.
>
> Marcos 6.45-47

Jesus deixa todos. Sobe o monte, sozinho. E traz consigo à praia a placidez da solitude.

A Bíblia mostra claramente quanto Jesus dava importância ao *locus amoenus* como forma de processar sua angústia:

> Então foram para um lugar chamado Getsêmani, e Jesus disse aos seus discípulos: "Sentem-se aqui enquanto vou orar". Levou consigo Pedro, Tiago e João, e começou a ficar aflito e angustiado. E lhes disse: "A minha alma está profundamente triste, numa tristeza mortal. Fiquem aqui e vigiem". Indo um pouco mais adiante, prostrou-se e orava para que, se possível, fosse afastada dele aquela hora. E dizia: "Aba, Pai, tudo te é possível. Afasta de mim este cálice; contudo, não seja o que eu quero, mas sim o que tu queres".
>
> Marcos 14.32-36

Observe bem: Jesus padecia de aflição e angústia. Ele estava confuso, abalado, sem perspectivas, sem direção. Em sua mente, a dúvida. Em sua alma, o desespero. Mas, no silêncio e na meditação do *locus amoenus*, ele encontra conforto na vontade do Pai.

Está profundamente triste? Numa tristeza mortal? Descubra um *locus amoenus* onde você possa se abrigar e abrandar seu coração. Assim como Jesus fez. Nas horas de maior angústia e aflição, vá até lá. Sente-se. Acalme-se. Sinta a brisa. Deleite os olhos. Ore.

E tenha em mente algo muito importante: o *locus amoenus* não é, necessariamente, um lugar. Na verdade, creio que o melhor *locus amoenus* de todos é, isso sim, uma pessoa. Alguém em cujos braços você se aconchegará, fechará os olhos, dará um suspiro e, enfim, encontrará a paz. E essa pessoa pode ser aquela que sabe a importância da paz mais que qualquer outra: Jesus de Nazaré, o Filho de Deus.

Uma mensagem de esperança

Se você diz:
— *Estou aflito e angustiado...*

Deus tem um recado para você:
— *Eu lhe dou sossego.*

Para sua meditação

Exultarei com grande alegria por teu amor, pois viste a minha aflição e conheceste a angústia da minha alma.

Salmos 31.7

O Senhor é bom, um refúgio em tempos de angústia. Ele protege os que nele confiam.

Naum 1.7

Os apóstolos reuniram-se a Jesus e lhe relataram tudo o que tinham feito e ensinado. Havia muita gente indo e vindo, ao ponto de eles não terem tempo para comer. Jesus lhes disse: "Venham comigo para um lugar deserto e descansem um pouco".

Marcos 6.30-31

Aos pés do Senhor

Pai amado, estou aflito e angustiado, e preciso encontrar sossego para a minha alma. Sei que só tu podes me dar o alívio de que necessito. Assim como Jesus buscava o isolamento, preciso de um lugar espiritual e emocional onde encontre conforto e refrigério, e sei que podes me conduzir no rumo certo para encontrá-lo. Desejo me calar para as coisas vãs da existência e, assim, conseguir ouvir o suave som da tua voz. Sei que isso só será possível se agires em minha vida, trazendo sossego à minha mente e ao meu coração. Por vezes parece que preciso gritar, pôr para fora tudo o que está acumulado em meu peito.

Mas, em vez de explodir, sei que posso encontrar a quietude em ti. Acalma-me, Pai, e faze-me recuperar o prumo. Que eu possa me aconchegar em teus braços, fechar meus olhos e encontrar a paz. Peço-te isso em nome de Jesus. Amém.

10

ESTOU DOENTE

Tema o SENHOR e evite o mal. Isso lhe dará saúde ao corpo e vigor aos ossos.

PROVÉRBIOS 3.7-8

Fiquei profundamente tocado ao saber que uma irmã da igreja recebeu a notícia de que estava com câncer. Jovem, cristã, casada com um músico do grupo de louvor, oramos juntos durante o culto — ela, o marido e eu. Choramos. Pedimos a cura. Meus olhos demoraram algum tempo para secar, pois parecia que conseguia sentir em mim a dor e a ansiedade daquele casal, já em antecipação pelos meses de batalha que teriam pela frente. Esse episódio me afundou em reflexão sobre uma das questões mais antigas entre os cristãos: como aceitar a ideia de que um Deus bondoso e misericordioso permite que seus filhos enfrentem doenças que causam dor e sofrimento?

Jesus cura enfermidades. A Bíblia é clara sobre isso. E, sendo ele "o mesmo, ontem, hoje e para sempre" (Hb 13.8), continua a fazer em nossos dias o que fez dois mil anos atrás. Mas não podemos parar aí. Sei que você gostaria que eu dissesse que basta crer com todas as suas forças e é garantido que Deus vai curá-lo. Só que isso não seria verdade. Nunca podemos *garantir* que o Senhor fará qualquer coisa, quanto mais milagres — eles são inesperados e dependem dos propósitos divinos.

A realidade é que, em sua soberania, Deus pode me manter doente, por mais que eu tenha a fé maior do mundo.

Simplesmente porque minha fé não manda em Deus. Deus manda em Deus. Enquanto estamos neste mundo, habitaremos corpos frágeis, aglomerados de tecidos e líquidos sujeitos a degradação. A salvação da alma não blinda o corpo contra bactérias, vírus, torções, tumores, fraturas e tantos outros tipos de problemas de saúde. A salvação é do inferno, e não das doenças. Salvos e não salvos ficarão doentes do mesmo modo. A vida nos prova que isso é fato.

Lembre-se de uma coisa. Cristãos ficam doentes e são curados. Islamitas ficam doentes e são curados. Budistas ficam doentes e são curados. Ateus ficam doentes e são curados. Isso porque todos os fiéis — ou não — de todas as religiões fazem parte do mesmo grupo: os seres humanos. E humanos ficam doentes. Você poderia questionar: "Mas precisamos sofrer tanto, com doenças tão terríveis?". Vejamos alguns casos bíblicos em que fica claro que as enfermidades muitas vezes vêm sobre nós por permissão divina e com um propósito bem definido.

Miriã, a irmã de Moisés, ficou leprosa, pela vontade do Senhor (Nm 12). Jó, homem íntegro e reto, ficou cheio de tumores na pele, por permissão do Senhor (Jó 2.6). O cego de nascença carregava essa condição por anos, segundo Jesus, "para que a obra de Deus se manifestasse na vida dele" (Jo 9.3). O próprio Lázaro, um dos melhores amigos de Jesus, adoeceu, como explicou o Mestre, "para a glória de Deus, para que o Filho de Deus seja glorificado por meio dela [a doença]" (Jo 11.4).

A verdade é que são muitos os relatos, no Antigo e no Novo Testamentos, de circunstâncias em que o Deus amoroso enviou doenças e pragas sobre seu povo. E não nos esqueçamos do espinho na carne de Paulo que, segundo acreditam muitos especialistas, talvez fosse uma doença (2Co 12.1-10). E estamos falando do grande apóstolo Paulo, o homem que foi arrebatado ao céu... mas para quem a graça de Deus bastava. Será que ele não tinha fé suficiente para ser curado?

E aqui chegamos ao ponto principal de nossa reflexão. Você conseguiu perceber o que têm em comum todas essas circunstâncias de doenças horríveis que causaram tanto sofrimento? *O desejo do Senhor de que as pessoas acometidas por essas moléstias viessem a aprender lições importantes por meio delas.*

Veja: Miriã foi vencida pela soberba, e a lepra veio para lhe ensinar humildade. O povo israelita sofreu muitas vezes com pestes para aprender que a obediência e a fidelidade ao Todo-poderoso são vitais. Jó sofreu para desenvolver mais intimidade com o Senhor. E Paulo (se é que o espinho na carne foi mesmo uma enfermidade) recebeu a lição de que nada é mais importante que a graça de Deus.

Enfermidade e aprendizado sempre andaram de mãos dadas. Deus sabe que somos pó e, muitas e muitas vezes, o aprendizado sobre a obediência, a graça e a glória do Senhor vêm mediante um instrumento pedagógico chamado *doença*, que, infelizmente, carrega consigo dor e sofrimento.

Muitos poderiam dizer que esse tipo de pensamento não se adequa à essência de um Deus que é amor. É exatamente por isso que precisamos entender os fatos do dia a dia do ponto de vista do Senhor, e não do nosso. Compreenda isto: quando o Pai olha para você, ele não está enxergando somente os 70, 80 anos de vida em que sua alma estará na terra. Ele está vendo de uma perspectiva muito mais ampla. O Senhor contempla os milhões, bilhões, trilhões de anos que você terá na eternidade. Se essa matemática lhe parece nebulosa, perceba que, se a eternidade tivesse apenas um milhão de anos de duração, nela caberiam 14.285 vezes o tempo de vida de alguém que vive na terra setenta anos. E lembre-se de que a eternidade vai durar milhões de milhões de milhões de anos. E isso só para começar.

Diante dessa verdade, o que você acha que é mais importante para Deus? Suas poucas décadas aqui na terra ou sua existência eterna? Se for preciso ele permitir que você enfrente alguns anos de dificuldades agora, que promoverão um aprendizado benéfico para toda a eternidade, o que você acha que ele fará? Deixe-me reformular: no lugar dele, o que você faria?

Você pode estar doente no exato momento em que lê estas palavras. Sim, ficamos doentes. Sim, pessoas íntegras e cheias de fé ficarão doentes. Sim, devemos orar pelos enfermos, na esperança de sua restauração. Sim, remédios curarão muitos. Sim, milagres curarão alguns. Sim, muitos não serão curados por um milagre. O que fará a diferença é quanto conseguiremos aprender e quanto nos aproximaremos de Cristo mediante toda dor e todo sofrimento.

Jesus sofreu. Doeu. Foi ruim. Mas Deus não afastou do próprio Filho o cálice do sofrimento, pois dele vieram benefícios eternos. Muitas vezes, o Senhor permite que também nós bebamos do cálice do nosso sofrimento — para que aprendamos algo que virá a trazer benefícios eternos. O que cada um de nós tem de aprender com nossas doenças? Não faço ideia, pois para cada pessoa há um aprendizado específico. Mas Deus sabe. O que sei é que a graça dele nos basta. E que a ele seja dada toda a glória, pelos séculos dos séculos.

Uma mensagem de esperança

Se você diz:
— *Estou doente...*

Deus tem um recado para você:
— *Estou no controle. Enquanto isso, aprenda de mim e aproxime-se ainda mais.*

Para sua meditação

Tu és o Deus que realiza milagres; mostras o teu poder entre os povos.

Salmos 77.14

[Cristo] transformará os nossos corpos humilhados, tornando-os semelhantes ao seu corpo glorioso.

Filipenses 3.21

Entre vocês há alguém que está doente? Que ele mande chamar os presbíteros da igreja, para que estes orem sobre ele e o unjam com óleo, em nome do Senhor.

Tiago 5.14

Aos pés do Senhor

Pai amado, tenho sofrido com esta enfermidade. Sei que és bondoso e misericordioso, por isso tenho certeza de que não estou passando por esse sofrimento sem uma razão maior. Jamais duvidei do teu poder para curar, seja de modo sobrenatural, seja por meio de recursos da ciência e da medicina. Tenho fé na cura, mas entrego toda e qualquer decisão em tuas mãos. Quem sabe tenhas permitido que esta doença viesse sobre mim para que eu aprendesse lições importantes por meio dela. Se for o caso, que o aprendizado venha rápido. Sei que tudo o que fazes tem em primeiro plano a eternidade, por isso confio minha vida a ti, na certeza de que me conduzes para algo melhor. Confio que, antes de qualquer coisa, queres o meu bem eterno. Meu maior desejo é que tudo o que estou vivendo me faça crescer em intimidade contigo. E, sempre, seja feita a tua vontade, e não a minha. Em nome de Jesus eu te peço. Amém.

11

Não tenho mais forças

Entregue suas preocupações ao Senhor, e ele o susterá.

Salmos 55.22

Quando minha filha completou 2 anos, um episódio teve grande impacto sobre ela. Estávamos na praia, de mãos dadas, brincando de pular ondas. Algo me distraiu, e não vi quando uma onda maior se aproximou e estourou em cima de nós. Resultado: a água entrou pelo nariz, pelos ouvidos, pela boca e pela alma da minha filhinha. Entre engasgos e olhares assustados, ela se atracou ao meu pescoço, num gesto de desespero. Eu havia falhado e, por causa de um segundo de desatenção, a pequena parecia ter ficado traumatizada. Daquele momento em diante, nunca mais ela quis entrar na água do mar. Todas as vezes em que retornávamos à praia, ela não arredava pé da areia, por mais que eu insistisse. Quase entreguei os pontos.

Mas um pai amoroso nunca desiste de seus filhos.

Decidimos passar as férias seguintes em uma cidade praiana. Resolvi, então, que aquela situação tinha de acabar e passei a trabalhar a ideia na mente dela. Garanti que estaria sempre presente, extremamente atento à sua segurança. Deixei claro que o papai a protegeria e faria disso prioridade. Verbalizei tudo o que era possível para deixá-la totalmente segura naquela situação. E fiz isso por um longo tempo e muitas vezes. Preguei, preguei e preguei.

Enfim, chegou o dia. Chegamos à cidade, nos instalamos no apartamento e logo descemos à praia. Assim que pisamos na areia, minha filhinha disse algo surpreendente:

— Vamos, papai, vamos para a água!

Seria possível? Eu a segurei pela mão e caminhamos rumo às ondas. Para meu espanto, ela não hesitou um segundo sequer: saiu invadindo a água. Pulou, mergulhou, se jogou em cima de mim. Sempre que uma onda maior despontava, eu a suspendia no ar, livrando minha filha de tomar água na cabeça. Aprendi com meu deslize. E cumpri minha promessa.

Ao longo das férias, fui acordado todos os dias por aquela pessoinha me sacudindo e dizendo: "Vamos para a praia, papai?". Quando chegávamos, antes mesmo que eu começasse a montar a barraca, ela perguntava umas trinta vezes: "Vamos para a água, papai?". Conclusão: foi difícil manter minha filhinha longe do mar. Ela pedia, destemida, para ir até o fundo; queria nadar, pular, fazer tudo o que pudesse, empolgadíssima com a diversão. Quando vinha uma onda maior, por iniciativa própria, corria para os braços do pai. Se entrava água no nariz ou na boca, ouvia as recomendações paternas e assoava ou cuspia. Creio que ela amadureceu, com base nos problemas do passado, dadas as constantes palavras de esclarecimento que ouviu e a confiança que desenvolveu de que nunca seria desamparada ou abandonada pelo papai (e pela mamãe), sua fonte de segurança e conforto. O conhecimento e a confiança de que estaria segura lhe permitiram viver momentos de extrema felicidade.

Deus é um Pai muito melhor do que eu. Ele nunca nos desampara. Ao contrário de mim, nunca se distrai. Nada passa despercebido diante de seus olhos. Sua atenção conosco é constante, focada e dedicada. Ele jamais é pego de surpresa por qualquer onda, mas muitas vezes deixa que uma ou outra nos atinja, pelas razões mais diversas. Doenças, desemprego, perdas, problemas, seja o que for: quando esses males chegam, parece que estamos nos afogando, perdemos o fôlego, ficamos atônitos. O Pai permite que isso aconteça não para que percamos a fé ou fiquemos com medo diante da vida, mas para que tenhamos experiências, cresçamos, subamos a patamares mais elevados em nossa espiritualidade. O problema ocorre quando, em vez de aproveitar essas circunstâncias para evoluir, deixamos que nos afetem de modo negativo, o que nos leva a questionar o cuidado de Deus.

Será que ele me abandonou? Será que cometi algum pecado que o fez virar as costas? Será que desistiu de mim? Nossa fé é abalada. A confiança no Pai é minada. Começamos a temer. Os desafios da vida se tornam monstros apavorantes. Escalamos a árvore até o galho mais alto, pois a segurança de que Deus cuidará de nós a cada segundo foi posta de lado. Medo. Ansiedade. Tristeza.

— Pai, as ondas estão fortes demais, não consigo!

Mas o Aba, nosso protetor celestial, aquele que nos ama com amor incompreensível, não se ausentou em momento algum. Ele tentou numerosas vezes nos fazer ver que estava nos segurando pela mão ou nos carregando no colo, mas os traumas das dores e dos sofrimentos do passado tornaram nossa fé infrutífera. É o fim? Nem de longe, pois Deus é nosso Pai.

E um pai amoroso nunca desiste de seus filhos.

Então, por saber que muito virá pela frente, o Senhor começa o processo de cura de nossa alma. Para isso, Deus começa a falar conosco. Leituras da Palavra nos dão explicações e esclarecimentos. Pregações iluminadas pelo Espírito nos revelam como o Senhor age, por que certos sofrimentos ocorrem, o que fazer quando chegam as tribulações. Livros escritos por irmãos e irmãs movidos pelo Divino nos abrem os olhos para realidades profundas da ação do Pai. Aos poucos, o poder das verdades celestes vai transformando nossos medos em paz, nossas dores em esperança, nossos traumas em aprendizado. Amadurecemos. Vemos a vida e Deus de maneira diferente, e com muito mais transparência. Entendemos que ele nunca nos abandonou, nem nunca nos abandonará. Torna-se certo que, em meio a toda aflição, o Senhor não soltou nossa mão, mas deixou as ondas nos atingirem sem causar dano permanente — e os propósitos celestiais diante daquela situação vão se tornando mais claros.

Passamos a compreender. Somos fortalecidos na fé. Conhecemos Deus, então, não mais por ouvir falar, mas por vê-lo com os nossos olhos espirituais. Desse modo, ganhamos total confiança nele. E, quando novas ondas despontam no horizonte, ameaçando nos afundar, afogar e machucar, podemos dizer, sem medo algum:

— Vamos, Papai, vamos para a água!

Uma mensagem de esperança

Se você diz:
— *Não tenho mais forças...*
Deus tem um recado para você:
— *Eu susterei você.*

Para sua meditação

O Senhor foi o meu amparo. Deu-me ampla liberdade; livrou-me, pois me quer bem.

2Samuel 22.19-20

Se eu subir aos céus, lá estás; se eu fizer a minha cama na sepultura, também lá estás. Se eu subir com as asas da alvorada e morar na extremidade do mar, mesmo ali a tua mão direita me guiará e me susterá.

Salmos 139.8-10

Bendito seja o Senhor, a minha Rocha, que treina as minhas mãos para a guerra e os meus dedos para a batalha. Ele é o meu aliado fiel, a minha fortaleza, a minha torre de proteção e o meu libertador, é o meu escudo, aquele em quem me refugio.

Salmos 144.1-2

Aos pés do Senhor

Pai amado, minhas forças se foram, e estou me sentindo muito fraco. Quando os problemas chegam, parece que perco o fôlego. Sei, porém, que nunca nos desamparas, nunca ficas desatento e nada passa despercebido aos teus olhos. Ajuda-me em meio às minhas muitas limitações a usar tudo o que está acontecendo para o meu amadurecimento. Que eu suba a patamares cada vez mais elevados em minha espiritualidade. Não permitas que, em vez de aproveitar essas circunstâncias para evoluir, eu deixe que elas me afetem de modo negativo. Nos momentos de fraqueza, chego a pensar que tu me abandonaste, que me deste as costas e desististe de mim, mas sei que o teu cuidado nunca me faltará. És um pai amoroso, que nunca desiste de seus filhos. Cura minha alma, Senhor. Fala comigo pela tua Palavra e fortalece a minha fé. Obrigado pela certeza de que, em meio a toda aflição, tu jamais soltaste minha mão. Em nome de Jesus. Amém.

12

Sou um miserável pecador

Ele nos resgatou do domínio das trevas e nos transportou
para o Reino do seu Filho amado, em quem temos a redenção,
a saber, o perdão dos pecados.

Colossenses 1.13-14

Você olha no espelho e não gosta do que vê. Enxerga uma
pessoa que comete pecado atrás de pecado e chega a pensar que não tem mais jeito. Sente-se um eletrodoméstico
quebrado para o qual não há conserto, só resta jogar no fer-
ro-velho. Você pode estar envergonhado da pessoa que é. Conhece bem a trave do seu olho. Talvez tenha a percepção clara
de que é orgulhoso, egoísta, hipócrita ou venenoso. É possível que esteja decepcionado consigo mesmo, porque magoou
Deus, não foi fiel a ele, deixou as paixões do mundo o afasta-
rem do Senhor. Quem sabe até se sente sujo, desprezível, um
pecador que não gosta de reconhecer seus erros perante os
outros. Pode ser que, quando se deita no travesseiro, lembra
que faz fofoca, sente inveja e a maldade habita no seu coração. Muitas podem ser as suas falhas, e a percepção da sua
natureza pecaminosa está acabando com você! Há, até mesmo, quem se veja como tão pecador a ponto de se perguntar:
"Será que perdi a salvação?".

Você se enxerga nessa descrição?

Então preste atenção no que a Bíblia diz:

É ele [Deus] que perdoa todos os seus pecados [...]. O Senhor é compassivo e misericordioso, mui paciente e cheio de amor. Não acusa sem cessar nem fica ressentido para sempre; não nos trata conforme os nossos pecados nem nos retribui conforme as nossas iniquidades. Pois como os céus se elevam acima da terra, assim é grande o seu amor para com os que o temem; e como o Oriente está longe do Ocidente, assim ele afasta para longe de nós as nossas transgressões. Como um pai tem compaixão de seus filhos, assim o Senhor tem compaixão dos que o temem; pois ele sabe do que somos formados; lembra-se de que somos pó.

Salmos 103.3,8-14

Não podemos passar a mão na cabeça do pecado, mas você precisa entender o olhar do Pai. Essas palavras do salmista revelam algo fundamental a respeito do Senhor: ele sabe que você é humano. Conhece sua inclinação para o erro. E não tem interesse de destruir — isso é papel do Diabo. O que Deus quer é animar o abatido e pôr de pé o caído.

Deus não espera de você perfeição, sabia? Embora ele o estimule a chegar o mais perto possível da perfeição, o Onisciente tem certeza de que você jamais chegará lá. Pois, como disse o salmista, "ele sabe do que somos formados, lembra-se de que somos pó": o Senhor sabe que você nunca será perfeito, mas que é pó, e erra. Se não errasse, você seria Deus! E Deus não acha que você é Deus. Por que você pensa, então, que errar faz de você um caso perdido? O fato de que o Senhor estimula a perfeição mas sabe que ninguém nunca será perfeito parece uma contradição? Não é.

O que ele quer de você é *esforço*.

Deus quer que você se esforce para chegar o mais perto possível da perfeição. Mas ele compreende as suas fraquezas. O que ele não aceita é o acomodamento. O cristão de verdade não é o que vence todas as batalhas, mas o que luta com toda a sua energia para vencê-las.

Se você se sente mal pelo seu pecado, se tem vergonha de si mesmo, não pense que é um perdido sem esperanças. Talvez seja assim que se sinta. Mas o que leio nas entrelinhas desse pensamento é algo lindo: o Espírito de Deus habita em você! "Como assim?", você pode se perguntar. "Eu estou sendo tão pecador!" Preste atenção: é o Espírito Santo quem convence do pecado, da justiça e do juízo. O homem por si mesmo é incapaz disso. E, se você se sente um miserável pecador, é sinal de que Deus o ama e o está chamando ao arrependimento.

Caso você se pergunte: "Será que Deus pode me perdoar dos meus pecados?", deixe-me contar um segredo: ele pode. Mais ainda: ele quer. Jesus veio à terra exatamente com esse propósito: perdoar pecados. E existe um meio para isso acontecer: "Quem esconde os seus pecados não prospera, mas quem os confessa e os abandona encontra misericórdia" (Pv 28.13). Tudo o que você tem de fazer é arrepender-se, confessar a Deus seus pecados e empenhar-se em abandoná-los. Pronto. Está feito. Foi para isso que Jesus encarnou, sofreu, morreu e ressuscitou: para que você e eu tivéssemos perdão e pudéssemos estar na eternidade com Deus.

Compreenda que o Senhor não o despreza porque você errou. Pelo contrário, vê-lo distante de si o faz querer ainda mais trazê-lo para perto: "Eu lhes digo que, da mesma forma, há alegria na presença dos anjos de Deus por um pecador que se arrepende" (Lc 15.10). Você está arrependido? Pretende esforçar-se por abandonar o pecado? Saiba que os anjos estão em festa.

E Deus mais ainda.

Uma mensagem de esperança

Se você diz:

— *Sou um miserável pecador...*

Deus tem um recado para você:

— *É verdade, mas amo você assim mesmo e o perdoo de todos os seus pecados.*

Para sua meditação

Quando os nossos pecados pesavam sobre nós, tu mesmo fizeste propiciação por nossas transgressões.

Salmos 65.3

Todos os profetas dão testemunho dele, de que todo o que nele crê recebe o perdão dos pecados mediante o seu nome.

Atos 10.43

Por essa razão era necessário que ele se tornasse semelhante a seus irmãos em todos os aspectos, para se tornar sumo sacerdote misericordioso e fiel com relação a Deus, e fazer propiciação pelos pecados do povo. Porque, tendo em vista o que ele mesmo sofreu quando tentado, ele é capaz de socorrer aqueles que também estão sendo tentados.

Hebreus 2.17-18

Aos pés do Senhor

Pai amado, perdoa-me, porque sou pecador. Falho muitas e muitas vezes, a ponto de questionar minha salvação. Ajuda-me a enxergar o tamanho da tua graça e da tua misericórdia, que me afastam de minhas transgressões e me fazem limpo aos teus olhos — não por mérito meu, mas do sacrifício de Jesus Cristo. Sei que a perfeição é impossível, mas, mesmo assim, é o alvo. Por isso, peço que me auxilies em minhas limitações e fraquezas, para que eu persevere na prática do bem, em esforço sincero.

Não quero me acomodar em meus pecados. Obrigado pelo teu perdão. Obrigado porque teu Filho veio à terra exatamente com o propósito de me perdoar. Que eu jamais esconda as minhas transgressões, mas que teu Espírito Santo me leve ao arrependimento, à confissão e ao abandono de meus erros. Sei que tu não me desprezas, mas me amas. Perdão, Pai, estou arrependido e não quero mais voltar a cometer os pecados que tanto me incomodam. É o que te peço, em nome de Jesus. Amém.

13

NÃO AGUENTO MAIS

Aquele que habita no abrigo do Altíssimo e descansa à sombra do Todo-poderoso pode dizer ao SENHOR: "Tu és o meu refúgio e a minha fortaleza, o meu Deus, em quem confio".

SALMOS 91.1-2

As sombras são nossas companheiras inseparáveis. Qualquer homem ou mulher pode nos abandonar: pai, mãe, marido, esposa, filhos, irmãos, amigos, colegas. Mas as sombras, não: elas sempre estarão ali. Presentes na alegria e na tristeza, a sombra nunca desgruda de nós — silenciosa, soturna, com certo ar de mistério, porém firme e constante. Temos poucas certezas na vida, mas a convicção da presença perene de nossa sombra é uma garantia inquestionável.

É interessante notar que a sombra é algo que não é. Ou seja, ela não subsiste por si só: na verdade, ela denuncia a presença de luz. Não existe sombra no escuro. Mas, embora uma sombra não exista em si, ela revela necessariamente a presença de dois elementos: o objeto que lhe deu seu formato e uma fonte de luz. Ou seja, se há ao meu lado uma sombra com o perfil de uma cadeira, isso prova que estou na presença de uma cadeira e, também, de um foco de luz.

Curioso é que, apesar de sua presença tão constante, não temos o hábito de lhe dar muita atenção. Tão acostumados estamos à sua permanência que acabamos pensando quase nada sobre ela e a relegamos a um papel secundário, para não dizer inexistente, em nossa vida. A verdade é que não valorizamos muito as sombras.

Exceto no calor abrasador.

Pense comigo: você chega à praia, o sol escaldante, a areia pelando, e a sola do pé começa a queimar. Seu primeiro impulso é sair correndo para a...? Isso mesmo, para a primeira sombra que aparecer. Nessa hora, você a põe como prioridade em sua vida. O mesmo ocorre num dia de verão quente e abafado, quando você está na rua, morrendo de calor, diante de uma enorme praça que precisa ser cruzada para chegar ao outro lado, enquanto o suor escorre por dentro da roupa. Perto de você há um muro que projeta um corredor sombreado ao longo do caminho. Por onde você procura andar: pelo meio da praça ou junto ao muro? Pensemos numa terceira situação: você chegou a um estacionamento a céu aberto, naquele dia de rachar. Há muitas vagas ao sol, e apenas uma junto a uma árvore solitária, com aquela sombrinha preciosa. Onde você procura parar o carro? Em geral, buscamos instintivamente o alívio proporcionado por aquele pedacinho de área fresca. Essas realidades revelam que, sob um calor abrasador, a sombra, normalmente relegada a um plano de pouca importância, recebe papel de primazia.

O salmo 91 fala sobre a sombra de Deus. Claro que é uma metáfora, algo dito em linguagem figurada, pois o Altíssimo, por ser espírito, não tem sombra, além do que ele é a própria fonte de luz (Tg 1.17). Porém, quando usa a imagem metafórica da sombra de Deus, o salmista nos remete a uma realidade muito parecida com as que mencionei nos exemplos da praia, da praça e do estacionamento. Pois o Pai anda sempre conosco, constantemente disposto a nos proteger e nos dar alívio. Nos momentos de maior sofrimento, o fato de a sombra do Todo-poderoso estar por perto denuncia que ele não nos abandonou. A vida pode estar sufocante, o chão sob nossos pés ardendo diante do calor das circunstâncias, não há muro que nos dê alento debaixo da insegurança, e parece não haver lugar onde estacionar sem que torremos sob o ardor de um dia a dia que não dá tréguas. "Não aguento mais!", você grita.

Então... a suave voz de Deus nos aponta um caminho: "Aquele que habita no abrigo do Altíssimo e descansa à sombra do Todo-poderoso..." (Sl 91.1). Sim, existe a *sombra do Todo-poderoso*, um refúgio onde buscar descanso, onde renovar as forças para a jornada da vida, um local de segurança e alívio.

E a promessa do descanso para quem se achegar à sombra do Onipotente vai além daquilo que uma sombrinha comum pode proporcionar. É uma promessa de proteção, confiança, livramento, segurança, saúde, paz, tranquilidade, vida, preservação e justiça. Veja só:

Aquele que habita no abrigo do Altíssimo e descansa à sombra do Todo-poderoso pode dizer ao SENHOR: "Tu és o meu refúgio e a minha fortaleza, o meu Deus, em quem confio". Ele o livrará do laço do caçador e do veneno mortal. Ele o cobrirá com as suas penas, e sob as suas asas você encontrará refúgio; a fidelidade dele será o seu escudo protetor. Você não temerá o pavor da noite, nem a flecha que voa de dia, nem a peste que se move sorrateira nas trevas, nem a praga que devasta ao meio-dia. Mil poderão cair ao seu lado, dez mil à sua direita, mas nada o atingirá. Você simplesmente olhará, e verá o castigo dos ímpios. Se você fizer do Altíssimo o seu abrigo, do SENHOR o seu refúgio, nenhum mal o atingirá, desgraça alguma chegará à sua tenda. Porque a seus anjos ele dará ordens a seu respeito, para que o protejam em todos os seus caminhos; com as mãos eles o segurarão, para que você não tropece em alguma pedra. Você pisará o leão e a cobra; pisoteará o leão forte e a serpente.

Salmos 91.1-13

80 O fim do sofrimento

Lindas promessas! Extraordinárias! Mas, então, você pode se perguntar: o que é preciso para vivenciar essas promessas em minha vida? Simples. Continuemos a ouvir a voz do Senhor:

Porque ele me ama, eu o resgatarei; eu o protegerei, pois *conhece o meu nome*. Ele clamará a mim, e eu lhe darei resposta, e na adversidade estarei com ele; vou livrá-lo e cobri-lo de honra. Vida longa eu lhe darei, e lhe mostrarei a minha salvação.

Salmos 91.14-16

Eis o segredo:

1. Apegue-se com amor a Deus.

2. Conheça o nome dele, ou seja, busque-o, saiba quem ele é, aprofunde-se no conhecimento do Senhor.

Basta conhecer Jesus e devotar a ele o seu amor. Com isso, ele responderá a suas orações, o acompanhará em suas angústias, o livrará de todo mal e lhe concederá longevidade. E, de tudo, aquilo que mais nos enche de alegria: mediante seu amor e busca, o Todo-poderoso lhe dará salvação, por toda a eternidade.

Uma mensagem de esperança

Se você diz:
— *Não aguento mais...*

Deus tem um recado para você:
— *Eu lhe dou abrigo e segurança.*

Para sua meditação

Tu me dás o teu escudo de livramento; a tua ajuda me fez forte. Alargas sob mim o meu caminho, para que os meus tornozelos não se torçam.

2Samuel 22.36-37

Descanse somente em Deus, ó minha alma; dele vem a minha esperança. Somente ele é a rocha que me salva; ele é a minha torre alta! Não serei abalado! A minha salvação e a minha honra de Deus dependem; ele é a minha rocha firme, o meu refúgio.

Salmos 62.5-7

Venham a mim, todos os que estão cansados e sobrecarregados, e eu lhes darei descanso.

Mateus 11.28

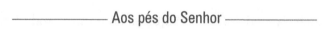

Aos pés do Senhor

Pai amado, não aguento mais. O calor abrasador da vida me fustiga, a ponto de eu me sentir sem forças e sem esperança. Revela-te a mim e mostra-me que estás sempre comigo, constantemente disposto a me proteger e me dar alívio. Sinto-me sufocado. Preciso de alento, Senhor. Que eu habite no teu abrigo e descanse à tua sombra, refúgio onde encontro descanso, renovo as forças e encontro segurança e alívio. Esconde-me, fortalece-me e guarda-me dos ambientes hostis da luta diária, pois só tu, ó Pai, és a saída para os males que me atingem. És meu refúgio e minha fortaleza, meu Deus, em quem confio. Dê ordens aos teus anjos a meu respeito, para que me protejam em todos os meus caminhos. Clamo a ti, Senhor. Responde-me e estende-me a mão na adversidade. Mostra-me a tua salvação. Peço-te isso tudo em nome de Jesus. Amém.

14

PERDI O CONTROLE DA SITUAÇÃO

Entregue o seu caminho ao SENHOR; confie nele, e ele agirá.
SALMOS 37.5

Na infância e adolescência, fui escoteiro do mar. Todo fim de semana, saía com meus companheiros para velejar a bordo de um escaler, uma embarcação para oito a doze pessoas. Num barco dessa envergadura, cada um tem uma atribuição: há quem cuide da vela, outro apenas tira a água que entra, mas quem dá a direção é o timoneiro, a pessoa que manobra o leme.

Você e eu estamos a bordo de um barco chamado *vida*. Enfrentamos momentos de tormenta, de bonança, de ondas altas, de marolas, dias de céu azul e noites de raios e trovoadas. Todos nós. O complicado é que não temos o controle absoluto de tudo. Assim como no escaler, na vida não dá para fazer tudo ao mesmo tempo. Por ser uma embarcação grande, é impossível, por exemplo, estar simultaneamente na proa e no leme. Então, como proceder?

Quando eu era escoteiro, a função mais cobiçada no escaler era a de timoneiro. Você fica sentadinho, o vento batendo no rosto, na sua confortável zona de segurança. E dá uma sensação de poder. É você quem determina para onde o barco vai. Uma mexidinha no leme, e ele corre na direção oposta. Erguer a vela, por sua vez, não é algo que muitos queiram fazer. É preciso puxar cabos com força, machuca a mão, exige esforço... não é fácil. Mas, afinal, a vela sobe até o topo do mastro, o vento a infla e o escaler ganha velocidade.

Nossa vida com Deus é como velejar num escaler. Temos de optar por qual função assumir; não dá para fazer tudo ao mesmo tempo. E nesse barco há dois passageiros — você e Jesus. A pergunta a fazer é: que função quero assumir? A tentação é logo pegar o leme. Dá mais segurança. Você controla seu destino, os rumos que deseja tomar. Sim, você se torna senhor de sua vida, o encarregado de dizer se ela vai para a esquerda ou para a direita. É uma zona de conforto. E lhe digo uma coisa: você pode fazer isso, pois tem poder de decisão.

Ao assumir o leme, porém, sobra para Deus erguer a vela. Bem, ele tem força suficiente e a ergue sem nenhuma dificuldade. Mas aí, com a vela enfunada e o barco em movimento, só resta ao Todo-poderoso sentar e ficar observando o que você está fazendo. E, posso garantir, ele fará isso sabendo do risco envolvido. Pois Deus conhece exatamente o caminho do porto seguro, sabe onde estão as rochas submersas e os recifes de coral. Você não.

Não seria mais sábio inverter as posições? Abrir mão de exercer tanto controle sobre sua vida e deixar Cristo assumir o leme? Eu sei, dá medo. Não sabemos o rumo que ele vai tomar. Não sabemos quanto tempo levará até atracarmos em terra firme. Ficamos sem o domínio da situação. Mas fizemos nossa parte! Levantamos a vela! E, com isso, o barco entra em movimento, e o timoneiro dá rumo à embarcação.

O que é preciso para soltar o leme? Confiança. Será que você confia em Deus? Ou será que não consegue desgrudar do leme, querendo resolver todas as situações da vida por suas próprias forças? Se esse é o caso, leia com muita atenção as palavras do salmista:

> Confie no SENHOR e faça o bem; assim você habitará na terra e desfrutará segurança. Deleite-se no SENHOR, e ele atenderá aos desejos

do seu coração. Entregue o seu caminho ao Senhor; confie nele, e ele agirá: ele deixará claro como a alvorada que você é justo, e como o sol do meio-dia que você é inocente. Descanse no Senhor e aguarde por ele com paciência.

Salmos 37.3-7

Essa é a proposta do evangelho. Rendição. Dependência. Esperança. Confiança. Fé.

Se você analisar as experiências do passado, verá que, nas vezes em que arrancou o leme das mãos de Cristo, sempre se espatifou contra as rochas. Não queira o leme, por mais confortável que seja. Apenas levante a vela, ou seja, faça a sua parte, e depois descanse no Senhor. Ele conhece o caminho. Ele conhece os perigos. Ele sabe como levá-lo aonde planejou levar desde antes da fundação do mundo. Jesus foi muito claro sobre a importância de confiar na provisão de Deus e em sua soberania sobre nossa vida e nossas necessidades:

Não se preocupem com sua própria vida, quanto ao que comer ou beber; nem com seu próprio corpo, quanto ao que vestir. Não é a vida mais importante que a comida, e o corpo mais importante que a roupa? Observem as aves do céu: não semeiam nem colhem nem armazenam em celeiros; contudo, o Pai celestial as alimenta. Não têm vocês muito mais valor do que elas? Quem de vocês, por mais que se preocupe, pode acrescentar uma hora que seja à sua vida? Por que vocês se preocupam com roupas? Vejam como crescem os lírios do campo. Eles não trabalham nem tecem. Contudo, eu lhes digo que nem Salomão, em todo o seu esplendor, vestiu-se como um deles. Se Deus veste assim a erva do campo, que hoje existe e amanhã é lançada ao fogo, não vestirá muito mais a vocês, homens de pequena fé? Portanto, não se preocupem, dizendo: "Que vamos comer?" ou "Que vamos beber?" ou "Que vamos vestir?" Pois os pagãos é que correm atrás dessas coisas; mas o Pai celestial sabe que vocês precisam delas. Busquem, pois, em primeiro lugar o Reino de Deus e a sua justiça, e todas essas coisas lhes serão acrescentadas.

Mateus 6.25-33

Se você perdeu o controle da situação, confiar no Senhor é a única maneira de conseguir relaxar, deitar-se na proa, deixar o Sol da Justiça aquecer seu rosto e desfrutar desse delicioso passeio chamado *vida*.

Uma mensagem de esperança

Se você diz:
— *Perdi o controle da situação...*

Deus tem um recado para você:
— *Deixe que eu assumo. Confie.*

Para sua meditação

Os passos do homem são dirigidos pelo Senhor. Como poderia alguém discernir o seu próprio caminho?

Provérbios 20.24

Confiem para sempre no Senhor, pois o Senhor, somente o Senhor, é a Rocha eterna.

Isaías 26.4

Aqueles que sofrem de acordo com a vontade de Deus devem confiar sua vida ao seu fiel Criador e praticar o bem.

1Pedro 4.19

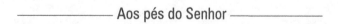
Aos pés do Senhor

Pai amado, perdi o controle da situação. Parece que não consigo ter domínio sobre o que acontece em minha vida, e isso me abate. Quero aprender a descansar em ti, por saber que os rumos da minha jornada não estão em minhas mãos, mas debaixo da tua soberania. Tenho aprendido que, todas as vezes em que tentei tomar as rédeas da situação, sem depender de ti, tudo deu errado. Sempre que arranquei o leme das tuas mãos, me espatifei contra as rochas. Meu desejo é ter fé suficiente para fazer a minha parte e confiar que fazes a tua, pois controlas tudo, e nada do que existe foge ao teu domínio. Aumenta minha fé. Fortalece minha confiança. Ensina-me a confiar em ti e fazer o bem. A tua Palavra afirma que devo deleitar-me em ti, na certeza de que atenderás aos desejos do meu coração, conforme a tua vontade. Por isso entrego meu caminho a ti, confiando e sabendo que tu agirás. Em nome de Jesus. Amém.

15

A VIDA ESTÁ MUITO DIFÍCIL

Suportem as dificuldades, recebendo-as como disciplina;
Deus os trata como filhos. Ora, qual o filho que não é disciplinado por seu pai? [...] Nenhuma disciplina parece ser motivo de alegria no momento, mas sim de tristeza. Mais tarde, porém, produz fruto de justiça e paz para aqueles que por ela foram exercitados.

HEBREUS 12.7,11

A paternidade tem me ensinado muitas coisas sobre Deus. Uma delas são os benefícios proporcionados pelas dificuldades da vida. Em nosso meio, é muito comum ouvirmos dos irmãos que, se estamos passando por tribulações, é porque Deus está descontente, castigando por algum pecado, ou algo do tipo. Outra das correntes mais fortes é a que atribui as dificuldades ao Diabo. É claro que há forças que agem contra nós. Mas, quanto mais eu vivo, menos acredito que as dificuldades da vida são fruto do ódio de Satanás, e cada vez mais me convenço de que são fruto do amor de Deus. Estranho? Permita-me explicar.

Quando minha filha estava completando 2 anos, tive a percepção de quanto facilitar as coisas para ela a prejudicava. Um exemplo que considero clássico é quando ela deixava escapulir algum brinquedo para debaixo da mesa da sala. Era difícil resgatar o brinquedo, pois a mesa acabava formando um labirinto de pernas de cadeiras, e as laterais eram limitadas por uma parede. Era realmente complicado pegar algo que caísse ali. Por isso, no início, a tendência imediata dela era me olhar com aquela cara fofa e, sem se mexer, pedir com voz melosa: "Pa-paaaai...", já esperando que eu me levantasse, tirasse todas as barreiras da frente, pegasse o brinquedinho e entregasse de bandeja na mãozinha dela.

Confesso: no princípio, era exatamente isso o que eu fazia. Comecei a notar, porém, que ela se tornava cada dia mais preguiçosa em muitas coisas e, sempre que podia, em vez de se esforçar, soltava aquele "Pa-paaaai...". Foi quando percebi que ajudá-la não a estava ajudando — e muito menos preparando-a para a vida. Pois a vida não nos dá as coisas de mão beijada. Mudei, então, de estratégia. Em vez de levantar e sempre tratar minha filha como uma bonequinha de cristal, tentando protegê-la das próprias gotas de suor, passei a incentivá-la. Frases de encorajamento como "Vai lá, filha, eu sei que você consegue", "Tenho certeza de que você é capaz de pegar sozinha" e outras similares passaram a ser a tônica.

E a dificuldade passou a fazê-la amadurecer. Comecei a reparar que aquela bebezinha que estava se tornando uma pequena preguiçosa agora punha os neurônios para funcionar, por vezes engatinhando pelas cadeiras e descobrindo itinerários e formas de chegar aonde queria, por vezes arrastando as cadeiras do lugar para abrir caminho, e outras vezes contornando a mesa para se aproximar pelo outro lado. Sua mudança foi incrível — como consequência da mudança na forma com que o papai lidava com ela. De repente, parece que deslanchou como pessoa. Tornou-se mais confiante e independente. Passou a ter mais proatividade e a solucionar suas dificuldades sem ficar dependendo dos outros. Em resumo, diante dos meus olhos começou a se formar um ser humano que merece muito mais a minha admiração do que quem ela estava a caminho de se tornar caso eu ficasse facilitando demais a sua vida.

Naturalmente, eu continuava de olho o tempo todo. Sempre zelei por sua segurança, não deixando que pegasse em facas ou chegasse perto do fogo. Mas passei a procurar torná-la participante das atividades, desafiando-a a encontrar as soluções que eu já conhecia e poderia dar mastigado a ela. Claro que era uma criança. Contudo, caso eu continuasse a tratá-la como criança para sempre, é uma criança que ela sempre seria.

Minha filha passou a não se deixar abater com facilidade ante os becos sem saída. Nem sempre ela conseguia — nem eu esperava isso. Mas o que me alegrava é que ela sempre tentava, tinha iniciativa e corria atrás. Não sentava no chão e chorava. Dava o seu melhor. E, quando conseguia... seus olhos brilhavam, e o sorriso de felicidade contagiava. Obviamente, eu era o primeiro a ser contagiado.

Com o tempo, quando ela falava "Pa-paaaai...", não era mais para pedir facilidades. Era sempre para pedir um abraço, um beijo, uma demonstração de afeto. Em seu curto tempo sobre a terra, ela descobriu que um pai não é exclusivamente uma mina de bênçãos, mas alguém que mostra caminhos, está presente nas emergências e, acima de tudo, é uma fonte inesgotável de amor. Ela aprendeu que um pai que orienta, ampara e está sempre junto nas dificuldades — em vez de fazer as coisas por ela — toma essa atitude por amor. E ela se sentia amada em toda e qualquer dificuldade.

Mais do que nunca, hoje acredito que o mesmo se dá com o nosso Pai celestial.

Quando olho para as dificuldades da vida, tenho a nítida sensação de que Deus também não nos dá as coisas de bandeja. Ele permite que cadeiras e pianos fiquem no caminho e pergunta: "E agora? Como você vai resolver isso?". Acredito que o Senhor quer que cresçamos, amadureçamos, nos solidifiquemos. Moleza não nos ajuda em nada.

Deus permite que no mundo tenhamos aflições. Mas ele está sempre ao nosso lado, para nos dizer: "Tenham ânimo!" (Jo 16.33). Deus permite a dor e o sofrimento, mas está com as mãos sempre a um palmo de nós, para nos lembrar: "Minha graça é suficiente para você" (2Co 12.9). Deus permite que passemos por situações em que nos sentimos perdidos num labirinto, sem saber para onde ir ou o que fazer, mas ele está conosco todos os dias, "até o fim dos tempos" (Mt 28.20). Deus permite grandes apertos, para que nos tornemos cristãos maduros na fé o suficiente a ponto de dizer: "Saí nu do ventre da minha mãe, e nu partirei. O Senhor o deu, o Senhor o levou; louvado seja o nome do Senhor" (Jó 1.21),

Não tenho muita certeza de que Deus deseja que nós superemos as dificuldades da vida. Creio que *aprender com elas* seja algo muito mais produtivo para a eternidade. As Escrituras Sagradas nos mostram que as dificuldades da vida não são prova de que Deus nos abandonou. As dificuldades da vida não são prova de que Deus é mau. As dificuldades da vida não são prova de que Deus quer nos castigar. As dificuldades da vida não são prova de que Deus abriu mão de sua soberania. As dificuldades da vida não são prova de que Deus não existe.

Por tudo o que já vivi como pai e por tudo o que já li na Bíblia, hoje creio firmemente que as dificuldades da vida são, isso sim, uma das maiores provas do amor de Deus por nós.

Uma mensagem de esperança

Se você diz:
— *A vida está muito difícil...*

Deus tem um recado para você:
— *Eu o amo e quero que você aprenda.*

Para sua meditação

A repreensão faz marca mais profunda no homem de entendimento do que cem açoites no tolo.

Provérbios 17.10

Feliz é o homem que persevera na provação, porque depois de aprovado receberá a coroa da vida, que Deus prometeu aos que o amam.

Tiago 1.12

Portanto, humilhem-se debaixo da poderosa mão de Deus, para que ele os exalte no tempo devido. Lancem sobre ele toda a sua ansiedade, porque ele tem cuidado de vocês.

1Pedro 5.6-7

Aos pés do Senhor

Pai amado, a vida está muito difícil. Peço que me fortaleças, por meio do entendimento da realidade bíblica acerca das dificuldades que surgem em meu caminho. Sei que tu permites que no mundo eu tenha aflições, por isso suplico que revigores meu ânimo. Que, neste momento de sofrimento, eu consiga ver sem barreiras que a tua graça é suficiente para mim. Obrigado porque estás comigo e não me desamparas. Meu desejo é que as dificuldades cooperem para que eu me torne um cristão mais maduro na fé. Para isso, preciso aprender com cada obstáculo que surge à minha frente. Sei que não és mau, tampouco abriste mão de tua soberania ou desejas me castigar. Tu vives e reinas, bondoso Deus! E, por saber que és soberano e me amas, permites que eu viva este período de dificuldade a fim de que eu cresça, me fortaleça e amadureça. Não permitas que eu esmoreça, mas apressa-te, Pai. É o que te peço, em nome de Jesus. Amém.

16

Estou com medo

Coragem! Sou eu. Não tenham medo!

MATEUS 14.27

O medo está ali, depois da esquina, esperando para pular em nossas costas. A cada passo da vida, tememos. A cada dia, mais e mais medos se acumulam sobre nossa cabeça. Medo do desemprego. Medo da doença. Medo da violência. Medo da escassez. Medo da depressão. Medo do abandono. Medo da solidão. Medo da dor. Medo do sofrimento. Medo da morte. Medo da vida. Medo do medo. Quem nunca sentiu medo, atire a primeira pedra. Ninguém gosta de sentir medo, mas é certo que ele virá. Será que há algo que possamos fazer? Será que saber que Jesus caminha conosco tem alguma influência?

Difícil, não é? As contas chegam: como não temer a falta de dinheiro? O médico faz aquela expressão grave quando recebe nosso exame: como não temer as dores que virão? O cônjuge diz que precisam conversar: como não temer o divórcio que desponta no horizonte? O filho chega com as roupas cheirando a fumaça: como não temer que esteja dependente de algum vício? O medo está salivando, esperando a próxima situação difícil para gargalhar em nosso rosto com seu hálito fétido e cravar as unhas em nossa pele.

Diante do medo, pode-se reagir de três maneiras diferentes: fugir, lutar ou paralisar. Se você foge, corre o risco de ser alcançado pelo problema. Se luta, pode perder o embate e sucumbir.

Se paralisa, as mandíbulas se fecharão sobre você. Então, o que fazer? Bem, veja por outro ângulo. Se foge, pode ser que consiga escapar. Se luta, pode ser que consiga vencer. E, se paralisa, pode ser que seja confundido com o ambiente e escape do ataque. Vemos, então, que cada reação pode gerar resultados bastante opostos.

Jesus enfatizou diversas vezes que não deveríamos ter medo. Os evangelhos listam 125 ordens que Cristo pronunciou. Dessas, 21 são variações de "Não tenham medo", "Não temam", "Sejam corajosos" ou "Tenham bom ânimo". O segundo mandamento mais presente, que nos insta a amar a Deus e ao próximo, é mencionado 8 vezes. Portanto, a declaração que Jesus faz mais que qualquer outra é esta: não tenha medo. Acredito que ele sabia o que estava dizendo.

O Antigo Testamento, de igual modo, contém palavras que nos oferecem ânimo e vida:

O Senhor é a minha luz e a minha salvação; de quem terei temor? O Senhor é o meu forte refúgio; de quem terei medo?

Salmos 27.1

Deus é o nosso refúgio e a nossa fortaleza, auxílio sempre presente na adversidade. Por isso não temeremos, ainda que a terra trema e os montes afundem no coração do mar, ainda que estrondem as suas águas turbulentas e os montes sejam sacudidos pela sua fúria.

Salmos 46.1-3

O Senhor é bom, um refúgio em tempos de angústia. Ele protege os que nele confiam.

Naum 1.7

A verdade é que não importa se você foge, luta ou paralisa. O que importa é agir tendo Jesus ao lado, como seu refúgio, sua fortaleza, a esperança em todos os momentos. Pedro temeu e, por isso, começou a afundar nas águas bravias do mar da Galileia, até que a mão divina o segurou e o puxou para fora do medo.

Mas, quando reparou no vento, ficou com medo e, começando a afundar, gritou: "Senhor, salva-me!" Imediatamente Jesus estendeu a mão e o segurou. E disse: "Homem de pequena fé, por que você duvidou?"

Mateus 14.30-31

Não duvide. Porque, se o medo puxa você para baixo, Jesus o sustém. Se o medo pula em suas costas, Jesus o arranca. Se o medo crava as unhas em sua carne, Jesus o espanta. Ele é o sorriso de conforto em meio à angústia. É a mão que nos ergue quando as pernas fraquejam. É o pão que sacia a fome. É a água que nos revigora no deserto. Jesus é a resposta. Jesus é a segurança. Jesus é a paz.

Você está sentindo medo neste exato momento? Está envolvido em uma situação sobre a qual não tem controle? As pedras voam em sua direção, e você já sofre em antecipação ao impacto? A ansiedade é grande? O que virá é incerto? Só vê sombras no futuro? Está com medo?

Então peça em um sussurro: "Jesus, filho de Davi, tem misericórdia de mim...". Ele ouve, meu irmão, minha irmã. O Criador dos céus e da terra sabe quem você é, e cada segundo da sua vida está diante dos olhos do seu Salvador. Ele planejou sua vida, o semeou no ventre de sua mãe, formou seu corpo, soprou fôlego em suas narinas, o tomou pela mão no berço, o conduziu pela vida, o amou intensamente a cada instante de sua jornada. Por que você acha que neste momento ele o abandonaria? Não. Ele conhece os seus temores. E ele diz: "Não

96 O fim do sofrimento

tenha medo". Não é uma frase feita, um jargão para fazê-lo relaxar sem a certeza de que o alívio virá. Jesus não faz assim. Se ele diz para você não temer, é porque ele dá garantias.

"Não tenha medo", em nossos lábios humanos, é uma esperança. Mas, nos lábios que beberam o cálice da cruz, é uma promessa e uma certeza: "Não tenha medo. Pois eu sei. Eu controlo. Eu domino. Eu governo. Eu reino. Eu estou com você todos os dias, até o fim dos tempos". Na cruz, ele derrotou o pecado. A morte. O inferno.

E o medo.

Uma mensagem de esperança

Se você diz:
— *Estou com medo...*

Deus tem um recado para você:
— *Não tenha medo.*

Para sua meditação

Não tenham medo, pequeno rebanho, pois foi do agrado do Pai dar-lhes o Reino.

Lucas 12.32

Deixo-lhes a paz; a minha paz lhes dou. Não a dou como o mundo a dá. Não se perturbe o seu coração, nem tenham medo.

João 14.27

Deus é amor. Todo aquele que permanece no amor permanece em Deus, e Deus nele. Dessa forma o amor está aperfeiçoado entre nós, para que no dia do juízo tenhamos confiança, porque neste mundo somos como ele. No amor não há medo; ao contrário o perfeito amor expulsa o medo, porque o medo supõe castigo.

1João 4.16-18

Aos pés do Senhor

Pai amado, estou com medo. As circunstâncias da vida têm me oprimido, e temo pelo futuro. Sei que é impossível viver totalmente livre de temores, mas tenho absoluta certeza de que teu Filho caminha comigo. A verdade é que não sei o que fazer, não sei se corro, se luto ou se permaneço paralisado, mas, em qualquer situação, sei que devo confiar em ti e descansar. Tu és bom, és meu refúgio em tempos de angústia e me proteges, por isso descanso à tua sombra, de onde vem a minha esperança. Tu és a rocha que me salva, a minha torre alta, é a ti que recorro neste momento de angústia e medo. Deus meu, não permitas que eu seja abalado. Digo isso em sinceridade de coração, pois sabes que minha estrutura é frágil. Livra-me de toda dúvida que atente contra minha fé, pois és a maior certeza da minha vida. Pai, tem misericórdia de mim. Peço-te isso em nome de Jesus. Amém.

17

ESTOU NO FUNDO DO POÇO

O SENHOR é refúgio para os oprimidos, uma torre segura na
hora da adversidade. Os que conhecem o teu nome confiam
em ti, pois tu, SENHOR, jamais abandonas os que te buscam.

SALMOS 9.9-10

Gosto muito de pôr minha filha para dormir. Temos uma espécie de ritual entre o instante em que deitamos em sua cama e
o momento em que ela pega no sono: começamos lendo livros
juntos, conto histórias que invento, brincamos de coisas como
sombra na parede e, por fim, oro por ela cantarolando uma
oração, usando melodias de músicas calmas e tranquilas com
palavras de intercessão. Ela costuma adormecer enquanto eu
entoo a oração, deitado ao seu lado. Geralmente, para deixá-la
mais confortável, quando canto a canção, escorrego para baixo
do colchão e fico com a cabeça na altura de sua cintura, quase
a seus pés. Isso permite que ela tenha mais espaço para espar-
ramar os braços e também me facilita sair da cama sem correr
o risco de acordá-la.

Certa noite, seguíamos essa mesma rotina. Quando eu estava
cantarolando, ela, já sonolenta, virou-se para mim e sussurrou:

— Papai?

— Sim?

— Chega mais para cima.

E abriu os braços. Eu sorri e, suavemente, pus minha cabeça
no peito dela. A filhinha aconchegou o papai, pôs sua mão na

minha e envolveu meu pescoço com seu bracinho. Ali fiquei recebendo aquele amor em forma de proximidade e toque, até que, algum tempo depois, senti sua respiração mais pesada e percebi que tinha adormecido. Aos pés dela, já articulava como faria para escapulir dali e ir fazer outras coisas. Mas, quando fiquei naquela posição de paz e afeto, toda a vontade de sair desapareceu. Tudo o que eu queria era ficar e desfrutar daquele amor.

Servos de Deus vivem momentos de profundo abatimento. As circunstâncias da vida podem chegar a tal ponto que parece impossível ficar pior. É quando costumamos dizer: "Cheguei ao fundo do poço". Talvez você esteja se sentindo assim neste momento. Um pensamento comum nessas horas é: "Como pode um filho de Deus como eu estar vivendo tamanha desgraça? Eu vivo aos pés do Senhor, sou obediente, como isso é possível?".

Se você é cristão, significa que vive aos pés de Jesus. Assim como Maria, a irmã de Lázaro, você se deleita em estar aos pés do Mestre. É um lugar confortável, pois possibilita que você esteja em postura de amor, submissão e reverência, mas, ao mesmo tempo, com mobilidade para esticar os braços, mexer as pernas e até se levantar e ir embora, se desejar. Estar aos pés de Cristo é uma posição desejável ao servo de Deus e demonstra um relacionamento fiel ao Salvador. É o seu caso? Você vive aos pés de Jesus? Ótimo.

Só que, às vezes, isso não basta. É bem possível que, em determinado instante, você ouça o Mestre lhe falar:

— Chega mais para cima.

Ao falar isso, o que Deus quer dizer é que ele anseia por mais do relacionamento de vocês. Talvez seja essa a razão de ter permitido que você chegasse ao fundo do poço: para dali poder ascender. Uma vez no lugar mais baixo, somos confrontados com o fato de que é preciso ir para cima. É quando Deus deixa claro que não deseja que você fique apenas aos pés dele, mas que vá para o colo. E, do colo, para o abraço. Em outras palavras, o Senhor quer elevá-lo a um patamar de maior intimidade com ele.

Num primeiro momento, você pode estranhar o processo de elevação. Quando deitei no peito de minha filha, demorei algum tempo até ficar confortável, pois tinha medo de pesar sobre ela ou de machucá-la com meu ombro. Assim, fiz certa força para não pressionar demais seu corpinho. Embora fossem um lugar e uma situação agradáveis, também envolvia incômodo. Quando Deus nos convida para subir de seus pés e repousar a cabeça em seu peito, talvez isso se dê por caminhos que deixarão você desconfortável ou mesmo assustado. Pode ser que o início da subida seja a partir do poço. Lá do fundo.

Veja o exemplo de Jó. Toda a situação que ele enfrentou visava a elevá-lo a um patamar superior de intimidade com Deus. Jó vivia aos pés do Pai: a Bíblia o define como um "homem íntegro e justo", que "temia a Deus e evitava fazer o mal" (Jó 1.1). Estar mais aos pés do Todo-poderoso que isso é difícil. É uma postura de total integridade e retidão.

Mas não de intimidade.

Observe que, ao final do processo de elevação, quando Deus o resgata do fundo do poço para uma posição mais elevada que a anterior, aquele mesmo homem íntegro e justo diz: "Meus ouvidos já tinham ouvido a teu respeito, mas agora os meus olhos te viram" (Jó 42.5). Consegue perceber a diferença? Embora vivesse em integridade, justiça, temor e retidão, Jó ainda estava *apenas* aos pés de Deus. Era preciso mais. O Pai queria que aquele seu servo ascendesse a um nível superior de intimidade espiritual. Então ele diz:

— Chega mais para cima, Jó.

Muitas vezes, atravessamos períodos de aflição, sofrimento e falta de paz. É o "fundo do poço". Culpamos o Diabo, praguejamos contra o mundo, brigamos com Deus. Como se deu com Jó, somos acusados de pecado e negligência espiritual. Não entendemos nada, ficamos sufocados pelas circunstâncias, questionamos o Pai: como pode um homem íntegro e justo como eu passar por tudo isso? Se esse é o seu caso, procure o Senhor com serenidade, em oração e pelo estudo da Palavra. É possível que tudo o que esteja enfrentando faça parte de um processo doloroso, mas necessário, para elevar você a novos patamares de intimidade com o Criador. O objetivo divino é tirá-lo dos pés e colocá-lo no abraço de Cristo. Para aguentar firme e superar essa fase, você precisa afinar seu espírito com o Espírito Santo e ouvir o sussurro suave daquele que nos ama com amor incompreensível:

— Chega mais para cima, meu filho, vem para o abraço do Pai.

Uma mensagem de esperança

Se você diz:
— *Estou no fundo do poço...*

Deus tem um recado para você:
— *Quero levar você para cima, para um nível muito superior de intimidade comigo.*

Para sua meditação

Coloquei toda minha esperança no SENHOR; ele se inclinou para mim e ouviu o meu grito de socorro. Ele me tirou de um poço de destruição, de um atoleiro de lama; pôs os meus pés sobre uma rocha e firmou-me num local seguro. Pôs um novo cântico na minha boca, um hino de louvor ao nosso Deus.

Salmos 40.1-3

Clamei pelo teu nome, SENHOR, das profundezas da cova. Tu ouviste o meu clamor: "Não feches os teus ouvidos aos meus gritos de socorro". Tu te aproximaste quando a ti clamei, e disseste: "Não tenha medo".

Lamentações 3.55-57

Deus mesmo disse: "Nunca o deixarei, nunca o abandonarei". Podemos, pois, dizer com confiança: "O Senhor é o meu ajudador, não temerei. O que me podem fazer os homens?".

Hebreus 13.5-6

Aos pés do Senhor

Pai amado, estou no fundo do poço. Sou teu servo, mas vivo momentos de profundo abatimento. As circunstâncias da vida chegaram a tal ponto que parece impossível ficar pior. Chego a questionar como pode um filho de Deus como eu estar enfrentando tamanha desgraça, se vivo aos teus pés e procuro acatar a tua vontade e obedecer aos teus mandamentos. Como isso é possível? Acredito que podes querer mais que simplesmente obediência, e sei que muitas vezes usas os apertos da vida para nos elevar a um patamar superior de intimidade contigo. Se for o caso, Senhor, ergue-me e conduze-me ao teu abraço. Guia-me em serenidade até o nível que desejas e afina meu espírito com o teu Espírito Santo. É o que te peço, em nome de Jesus. Amém.

18

ESTOU EM RUÍNAS

Com certeza o SENHOR consolará Sião e olhará com compaixão para todas as ruínas dela; ele tornará seus desertos como o Éden, seus ermos, como o jardim do SENHOR. Alegria e contentamento serão achados nela, ações de graças e som de canções.

ISAÍAS 51.3

Os famosos atentados de 11 de setembro de 2001 contra as Torres Gêmeas do World Trade Center, em Nova York, fizeram enormes prédios virarem cinza, pó e ruínas em poucos instantes. É uma data sobre a qual refletir. Lembro que as igrejas, as sinagogas e os demais templos religiosos da cidade tiveram um aumento significativo de frequência depois do ocorrido. Pois, em época de catástrofe, é natural ao ser humano voltar-se para Deus. Pensar. Repensar. Buscar o Senhor. E, depois, deixar que o Pai de amor aja em sua reconstrução.

Deus permite que muitos atravessem situações semelhantes. O Senhor, que está no controle de tudo, por vezes quer que paremos e repensemos nossa vida, nossas ideias, nossos conceitos, o que estamos fazendo e o que não estamos fazendo. São períodos de ouvir, e não de falar. Ao fazer isso, você percebe que errou em muitas coisas e acertou em outras tantas. Por paradoxal que soe, para ter clareza sobre nossa caminhada, não raro é preciso que venham os escombros, as nuvens escuras, a desolação. E, como consequência deles, a reflexão, a oração, a imersão nas Escrituras e, por fim, a reconstrução. Não foi o que aconteceu com Jerusalém, depois de ser devastada pela Babilônia? "Eu sou o SENHOR, que fiz todas as coisas, que sozinho estendi os céus, que espalhei a terra por mim mesmo, [...] que diz acerca de Jerusalém: Ela será habitada, e das cidades de Judá: Elas serão construídas, e de suas ruínas: Eu as restaurarei" (Is 44.24,26).

Se você já atravessou momentos de grande sofrimento e fragilidade em sua vida, sabe bem do que estou falando. É como se entrasse numa espécie de estado de choque, como se ficasse numa bolha e todo o ruído cessasse, sobrando apenas aquela voz dentro do peito. À semelhança de alguém imerso em silêncio dentro de uma piscina vazia, em que só se ouvem ruídos vindos de dentro de si, a assolação traz a voz do Espírito Santo para o primeiro plano.

Hoje, no local onde ficava o World Trade Center, existe um monumento. O chamado Marco Zero é uma lembrança da tragédia e uma prova da reconstrução. Pois sim, Deus usa as tragédias para reconstruir — e usa muito. Usou o dilúvio. Usou a destruição de Jerusalém pelas mãos da Babilônia. Usou a aniquilação do corpo de Jesus para fazê-lo ressuscitar como um corpo glorioso. Note que as Torres Gêmeas não foram reerguidas. Algo diferente foi erigido em seu lugar. Quando somos postos abaixo, nada é reconstruído como antes. E, quando Deus permite a destruição, o que virá no lugar pode até ser algo menor, porém sempre com mais significado.

Algo que a tragédia de 11 de setembro despertou enormemente entre a população foi a solidariedade. O afeto humano. O amor pelo próximo. O perdão. Isso é o cerne do evangelho, pois Jesus encarnou em solidariedade à humanidade caída para nos perdoar por amor e nos reconciliar com Deus. Lembro-me de imagens de judeus ajudando cristãos, budistas dando água a quem necessitasse, muçulmanos chorando junto com católicos. Hoje, vejo que a renovação do coração é uma das principais causas de Deus permitir uma tragédia pessoal, e é também uma oportunidade em que o Senhor nos propõe transformar ódio em amor. Podemos optar — e a Bíblia nos recomenda exatamente isso (Rm 12.14-21).

Em 1999, dois anos antes dos atentados, estive no topo do World Trade Center. Recordo-me de que os helicópteros passavam abaixo de onde estava, tamanha era a altura. O que senti ali permanece dentro de mim. E comparo com o que sinto hoje ao pensar naquele dia e no que aconteceria dois anos depois. De igual modo, em nossa vida é preciso relembrar os momentos antes dos desastres e compará-los com os momentos posteriores. Devemos fazer uma comparação e tentar entender quem somos e que rumo iremos tomar.

Se Deus permitiu que viessem desgraças sobre sua vida, haverá tempo para tudo. Virá o tempo de chorar, o de se prostrar, o de se cobrir de cinza e pó, o de se vestir de saco e o de se apavorar com o silêncio que vem com as ruínas. Mas, depois, virão períodos de grande diálogo com ele, de aproximação, devoção, aprendizado. É quando Deus atende à oração que fazemos ao cantar:

> Eu quero ser, Senhor amado,
> Como um vaso nas mãos do oleiro.
> Pega a minha vida e faze-a de novo.
> Eu quero ser, eu quero ser um vaso novo.

Que cântico espantoso e extremamente necessário! Deus refará você. Reconstruirá. E nada será como antes.

Dos escombros brotará algo que nunca permitirá que você se esqueça da assolação. O que o Pai amoroso fará de você? Não tenho ideia. Mas ele tem. E, certamente, será algo muito melhor.

> ## Uma mensagem de esperança
>
> Se você diz:
> — *Estou em ruínas...*
>
> Deus tem um recado para você:
> — *Estou providenciando a reconstrução.*

Para sua meditação

O Senhor reconstruirá Sião e se manifestará na glória que ele tem. Responderá à oração dos desamparados; as suas súplicas não desprezará.

Salmos 102.16-17

O Senhor espera o momento de ser bondoso com vocês; ele ainda se levantará para mostrar-lhes compaixão. Pois o Senhor é Deus de justiça. Como são felizes todos os que nele esperam!

Isaías 30.18

O Deus da paz, que pelo sangue da aliança eterna trouxe de volta dentre os mortos o nosso Senhor Jesus, o grande Pastor das ovelhas, os aperfeiçoe em todo o bem para fazerem a vontade dele, e opere em nós o que lhe é agradável, mediante Jesus Cristo, a quem seja a glória para todo o sempre. Amém.

Hebreus 13.20-21

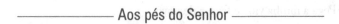

Aos pés do Senhor

Pai amado, estou em ruínas. Sei que muitas vezes permites que teus filhos passem pelo que estou passando, de modo que paremos e repensemos nossa vida, nossas ideias, nossos conceitos, o que estamos fazendo e o que não estamos fazendo. Ajuda-me nesta hora a ouvir mais do que falar. Que, em meio à desolação que enfrento neste momento, eu seja conduzido à reflexão, à oração, à imersão nas Escrituras e, por fim, à reconstrução. Estou como barro nas mãos do oleiro, sendo retrabalhado e moldado por ti, mas o processo é muito doloroso. Em tua bondade e soberania, tu permitiste que dores viessem sobre minha vida, certamente não por maldade, mas por ter propósitos bem definidos para um bem maior. Renova meu coração em meio a esta tragédia pessoal. Que eu aproveite este tempo de reconstrução para aprender a dialogar contigo e para me aproximar e aprender mais de ti. Pega a minha vida e faze-a de novo. Eu quero ser, Senhor, um vaso novo — e muito melhor. Em nome de Jesus. Amém.

19

TUDO ACABOU

Cantem louvores ao SENHOR, vocês, os seus fiéis; louvem o seu santo nome. Pois a sua ira só dura um instante, mas o seu favor dura a vida toda; o choro pode persistir uma noite, mas de manhã irrompe a alegria.

SALMOS 30.4-5

Gosto muito de um filme chamado *Grande menina, pequena mulher*. É a história de duas vidas destruídas emocionalmente, por motivos diferentes, que acabam encontrando no amor fraterno entre elas aprendizado, apoio afetivo e novas perspectivas. Mas é a última frase do longa-metragem que sempre me traz à mente uma importante realidade. Diz assim: "Toda história tem um final. Mas, na vida, todo final é apenas um novo começo". E, a meu ver, essa é uma verdade bíblica.

Reflita comigo nos seguintes exemplos. Quando Rute se vê desamparada, começa a fase mais importante de sua vida. Quando encerra-se a vida pecaminosa de Zaqueu, tem início uma etapa melhor e mais perfeita. Quando a adúltera ouve "Eu também não a condeno", percebe que uma nova era desponta em sua jornada. Quando os discípulos do caminho para Emaús usam o tempo verbal no passado para se referir à obra do Mestre é que se dão conta de que o futuro estava bem diante de seus olhos. Quando os apóstolos pensam que Jesus está morto e acabado, são surpreendidos por sua ressurreição, o que marca o início da era cristã. Quando Paulo desaba ante sua miséria, nasce o grande apóstolo dos gentios. E, em nossas trajetórias, as coisas também acontecem assim: fins e recomeços, fins e recomeços, fins e recomeços.

O término do ensino médio é o início da faculdade. O término da faculdade é o início do mercado de trabalho. O término de um emprego é o início de outro. O término da vida profissional é o início da aposentadoria. E isso em todas as áreas. O fim do noivado é o início do casamento. O fim da quimioterapia é o início da recuperação. O fim da tristeza é o início da alegria. Fins e recomeços, fins e recomeços, fins e recomeços... assim é a vida.

O grande problema surge quando não conseguimos compreender isso. A tendência natural do ser humano é viver intensamente as perdas, sem se dar conta de que elas marcam fases novas e potencialmente maravilhosas de sua vida. Por isso sofremos tanto e tão mais do que precisaríamos — pois não vemos que o momento em que chegamos ao que parece ser um beco sem saída na verdade é apenas uma esquina. Tudo o que temos de fazer é dobrá-la e seguir em frente. Como conhecemos em parte e não nos lembramos de que os caminhos de Deus são mais elevados que os nossos, ficamos desesperados, deprimidos, abatidos. Se você está vivendo o que parece ser o fim, se não está vendo escapatória, se aparentemente tudo acabou... lembre-se de que "na vida, todo final é apenas um novo começo".

Não à toa, o rei Salomão, depois de uma vida inteira de experiências boas e ruins, prazerosas e decepcionantes, chegou à conclusão de que há uma ocasião certa para tudo neste mundo. Um momento termina, e outro sempre vem adiante. Salomão, que era considerado o homem mais sábio de seu tempo, sabia que "na vida, todo final é apenas um novo começo".

110 O fim do sofrimento

Para tudo há uma ocasião certa; há um tempo certo para cada propósito debaixo do céu. Tempo de nascer e tempo de morrer, tempo de plantar e tempo de arrancar o que se plantou, tempo de matar e tempo de curar, tempo de derrubar e tempo de construir, tempo de chorar e tempo de rir, tempo de prantear e tempo de dançar, tempo de espalhar pedras e tempo de ajuntá-las, tempo de abraçar e tempo de se conter, tempo de procurar e tempo de desistir, tempo de guardar e tempo de jogar fora, tempo de rasgar e tempo de costurar, tempo de calar e tempo de falar, tempo de amar e tempo de odiar, tempo de lutar e tempo de viver em paz.

Eclesiastes 3.1-8

É por isso também que Jesus enfatizou tanto no Sermão do Monte a importância de viver o momento. O hoje. O agora. Pois ele sabia que o homem tem a tendência natural de se preocupar excessivamente com o amanhã e antecipar sofrimentos. Só que Cristo sabia, desde antes da fundação do mundo, que "na vida, todo final é apenas um novo começo":

Portanto, não se preocupem, dizendo: "Que vamos comer?" ou "Que vamos beber?" ou "Que vamos vestir?" Pois os pagãos é que correm atrás dessas coisas; mas o Pai celestial sabe que vocês precisam delas. Busquem, pois, em primeiro lugar o Reino de Deus e a sua justiça, e todas essas coisas lhes serão acrescentadas. Portanto, não se preocupem com o amanhã, pois o amanhã trará as suas próprias preocupações. Basta a cada dia o seu próprio mal.

Mateus 6.31-34

Basta a cada dia o seu mal. Isso significa que hoje o dia pode ser mau, ter cara de fim, cheiro de término, aparência de beco sem saída. Mas, na realidade, se o choro durar uma noite, essa noite representa a passagem do hoje para o amanhã. E o amanhã nos presenteia com a magnífica perspectiva de que a alegria vem. De que o fim não representava o fim, mas sim um novo começo.

Sua vida parece ter chegado a um fim? Então prepare-se: algo novo, desafiador, magnífico e que cumpre os planos do Senhor está para começar.

Uma mensagem de esperança

Se você diz:

— *Tudo acabou...*

Deus tem um recado para você:

— *Eu tenho um novo começo para você.*

Para sua meditação

O meu futuro está nas tuas mãos [...]. Faze o teu rosto resplandecer sobre o teu servo; salva-me por teu amor leal.

Salmos 31.15-16

Confie no Senhor de todo o seu coração e não se apoie em seu próprio entendimento; reconheça o Senhor em todos os seus caminhos, e ele endireitará as suas veredas.

Provérbios 3.5-6

Assim como você não conhece o caminho do vento, nem como o corpo é formado no ventre de uma mulher, também não pode compreender as obras de Deus, o Criador de todas as coisas.

Eclesiastes 11.5

Aos pés do Senhor

Pai amado, parece que tudo acabou. Sinto-me como se estivesse no fim da linha. O futuro desponta como um grande ponto de interrogação, e não vejo perspectivas à frente. Mas sei que há uma ocasião certa para tudo, e tenho a esperança de que este final seja apenas um novo começo, o início de uma fase nova e maravilhosa em minha vida. Ajuda-me a me preocupar apenas com o dia de hoje, sem antecipar sofrimentos. Abre meus olhos, Senhor, para que eu veja com clareza quando aquilo que parece ser um beco sem saída não passa, na verdade, de uma esquina a ser dobrada. Os teus caminhos são mais elevados que os meus, e, muitas vezes, não compreendo o que estás fazendo. Fortalece-me para que eu busque em primeiro lugar o teu reino e a tua justiça, na esperança de que algo novo virá pela frente. É o que te peço, em nome de Jesus. Amém.

20

VIVO ATORMENTADO PELO PASSADO

> Esqueçam o que se foi; não vivam no passado. Vejam, estou fazendo uma coisa nova!
>
> ISAÍAS 43.18-19

Tive o privilégio de fazer uma visita a idosos que vivem em uma casa de repouso. Marcou-me uma senhora em especial, de seus oitenta e muitos anos. Estávamos falando sobre sua vida, quando lhe perguntei se tinha arrependimentos de coisas do passado. Ela lançou um olhar no vazio e, depois de refletir um pouco, respondeu: "Sim... eu me arrependo de ter passado tanto tempo pensando no passado". Demorei algum tempo tentando entender exatamente o que ela quis dizer. Quando viu que eu estava parado, com cara de bobo e uma interrogação na testa, emendou: "Não é que não tenhamos de nos arrepender das besteiras que fizemos. Mas é que, se a gente olha para o futuro, e não para o passado, vamos ter bem menos arrependimentos, entendeu? Porque o que passou machuca, mas o que vem pela frente nos deixa empolgados". Fiquei pensativo. O que ela disse me fez lembrar uma frase do escritor cristão C. S. Lewis: "Existem coisas melhores adiante do que qualquer outra que deixamos para trás".

O profeta Jeremias escreveu: "Lembro-me também do que pode me dar esperança" (Lm 3.21). É um desejo inteligente. E, depois de muito meditar nas palavras daquela senhora, penso que devemos aplicar à nossa vida uma nova disciplina espiritual, que inverte o pensamento de Jeremias: trazer à esperança aquilo que pode se tornar uma boa lembrança. Ou seja, olhar para o futuro na expectativa das coisas boas que Deus pode trazer. Porque as dores do passado... doem. E quem é que gosta de sentir dor?

Por isso, é importante, sim, valorizarmos o passado, mas ele só tem função se ajuda a compor nosso futuro. Porque, no final das contas, isso é o que interessa: de que modo podemos pegar as experiências boas e ruins para construir um futuro melhor. Pois o passado é como uma pintura estática, imutável, limitada por suas molduras. Já o futuro é uma tela em branco, à espera das tintas, cheia de possibilidades e com grande potencial. E o presente é o pincel em movimento, em pleno processo de construção de algo novo. Se as novas gerações de pintores se contentassem em ficar apreciando os quadros no museu, nada novo seria pintado. Muito menos produtivo seria ficar lamentando o quadro que não deu certo. Com isso, viveríamos de ruminar alimento antigo, e não de produzir alimento novo. A civilização ficaria congelada numa eterna contemplação do que já passou.

De que adianta viver atrelado ao passado? Não adianta nada lamentar ou nutrir a tristeza pelo que vivemos ou mesmo pelo que não vivemos e, por isso, sofremos. Os tempos são o que são, e só o que podemos fazer é desejar que sejam algo mais próximo do que o passado foi. As boas e más experiências são as matérias que cursamos na escola da vida. Mas ninguém cursa uma escola para viver eternamente nela, e sim com vistas à formatura. A faculdade também, cursamos mirando o emprego. A vida, mais ainda, cursamos de olho na eternidade.

Aquela senhora estava certa: muito mais que a festa de formatura, importa o mercado de trabalho adiante. Muito mais que a cerimônia de casamento, importa a vida a dois pelos anos que virão. O parto importa menos que a vida inteira daquele ser humano. De igual modo, muito mais que o pecado é o que se pode fazer com o aprendizado após o arrependimento. Todos são como ritos de passagem para algo melhor.

Muitas vezes, os ritos de passagem não saem como queremos. Já estive em formaturas chatas que me fizeram dormir, já fui a um casamento em que o noivo desmaiou no altar, o parto de minha filha foi tenso, já cometi pecados que me fazem querer sumir. Mas o que veio depois foi ótimo: um emprego gratificante, uma vida conjugal feliz, uma filha saudável que me faz sorrir, uma caminhada em novidade de vida. Futuro.

Aquela senhora não sabia, mas suas poucas e sábias palavras desafiam paradigmas, nos fazem enxergar o futuro com olhos melhores. Sem desprezar o passado, podemos refletir sobre ele com distanciamento. Dores demais. Cicatrizes em excesso. Decepções além da conta. O futuro, por incerto que seja, está todo nas mãos do Pai, que segura o pincel em sua mão. Olhemos para o que virá com a esperança de que se tornem boas memórias. As memórias que construiremos amanhã são um mundo novo, misterioso e empolgante. O escritor Gabriel García Márquez escreveu que "a vida é uma sucessão contínua de oportunidades". Isso nos fala de uma existência em que a cada dia temos a chance de fazer algo novo, que construa um futuro memorável. O passado é limitado, já o futuro... é infinito.

Chega de remoer o passado. Sintamos saudades do que ainda não vivemos. Essa é a proposta bíblica, por isso devemos viver um dia após o outro. Olhar demais para trás faz doer o pescoço. Temos é de seguir de olhos no horizonte, persistindo em correr a corrida que nos foi proposta pelo nosso Senhor.

> Portanto, também nós, uma vez que estamos rodeados por tão grande nuvem de testemunhas, livremo-nos de tudo o que nos atrapalha e do pecado que nos envolve, e corramos com perseverança a corrida que nos é proposta, tendo os olhos fitos em Jesus, autor e consumador da nossa fé. Ele, pela alegria que lhe fora proposta, suportou a cruz, desprezando a vergonha, e assentou-se à direita do trono de Deus.
>
> Hebreus 12.1-2

Façamos o mesmo.

Uma mensagem de esperança

Se você diz:
— *Vivo atormentado pelo passado...*

Deus tem um recado para você:
— *Não se agarre ao que passou; não viva no passado. Veja, estou fazendo uma coisa nova!*

Para sua meditação

Lembra-te, SENHOR, da tua compaixão e da tua misericórdia, que tens mostrado desde a antiguidade. Não te lembres dos pecados e transgressões da minha juventude; conforme a tua misericórdia, lembra-te de mim, pois tu, SENHOR, és bom.

Salmos 25.6-7

O SENHOR seja engrandecido! Ele tem prazer no bem-estar do seu servo.

Salmos 35.27

Olhe sempre para a frente, mantenha o olhar fixo no que está adiante de você.

Provérbios 4.25

Aos pés do Senhor

Pai amado, vivo atormentado pelo passado. Ainda hoje, a lembrança daquilo que vivi me machuca. Quero ter a esperança de viver no amanhã aquilo que se tornarão boas memórias, mas confesso que, muitas vezes, o desânimo provocado pelas experiências de ontem afeta minha confiança de que viverei dias melhores. As dores do passado doem demais. Mostra-me, Pai, como posso usar as experiências boas e ruins para construir um futuro mais feliz, pois sei que os dias à frente são cheios de possibilidades e têm um grande potencial. Preciso viver com a consciência de que não adianta nada lamentar ou nutrir a tristeza pelo que não vivi ou mesmo pelo que vivi e que me fez sofrer — e só pela tua força serei capaz disso. Sei que o futuro está todo em tuas mãos e, por isso, entrego minha vida totalmente a ti. Não quero olhar demais para trás, mas sim seguir confiante, de olhos no horizonte. Ajuda-me. É o que te peço, em nome de Jesus. Amém.

21

MEUS SONHOS NÃO SE REALIZAM

> Transformem-se pela renovação da sua mente, para que sejam capazes de experimentar e comprovar a boa, agradável e perfeita vontade de Deus.
>
> ROMANOS 12.2

É muito comum ouvirmos que devemos perseverar, buscar nossos sonhos e nunca, sob nenhuma circunstância, desistir. A questão é que a Bíblia não faz essa afirmação. A perseverança deve ser na santidade, na obediência, na oração e na fé, sempre. Essa é uma realidade expressa em diversas passagens, como "Seja fiel até a morte, e eu lhe darei a coroa da vida" (Ap 2.10) e "Como são felizes os que perseveram na retidão, que sempre praticam a justiça!" (Sl 106.3). Mas, em se tratando de sonhos humanos, simplesmente não se aplica.

Devemos ter ciência de que, em certas situações, chega um momento em que precisamos abrir mão de nossos planos. Podemos ver muitos exemplos, como o de Jesus, que desistiu de pedir ao Pai que afastasse dele o cálice do sofrimento (Mt 26.36-46). Curiosamente, era um desejo que contrariava os propósitos divinos e, por isso, não se realizou — Jesus teve, sim, de beber do cálice. Paulo também precisou desistir de orar pedindo que o espinho de sua carne fosse removido (2Co 12.7-10). É um fato bíblico que há ocasiões em que o Senhor espera que nos conformemos e entreguemos os pontos.

Certas esperanças não devem ser alimentadas, em especial por duas razões: nosso coração é enganoso (Jr 17.9), e muitas vezes não discernimos qual é a vontade divina (Is 55.9). Assim, se o que almejamos difere do que Deus almeja, tenha a certeza: o melhor é desistir. Perca suas esperanças, pois ela está depositada em algo que não condiz com o querer do Senhor.

A pergunta imediata que se segue é: como posso saber se meu sonho está de acordo com a vontade de Deus? Há dois critérios principais: o que a Bíblia diz e a paz no coração.

A vontade de Deus está revelada nas Escrituras. Então você precisa conhecer a Bíblia. Estudá-la. Ver os princípios que ela defende. Nem sempre há uma resposta objetiva para sua situação, mas há princípios bíblicos que podem responder a seu questionamento e nortear seus sonhos e metas. A resposta nem sempre vem num versículo claro, mas num conceito transmitido ao longo de toda a Palavra. Por exemplo, não existe nenhuma passagem bíblica que fale que não devemos fazer uso de drogas, mas há um princípio claro acerca dos cuidados que devemos ter com o corpo e a mente. Ou, então, aquela dúvida que assola milhões de solteiros: devo namorar aquela pessoa que não é cristã, na esperança de que ela se converta futuramente? É para persistir nesse relacionamento ou não? A Bíblia é clara sobre o fato de que esse é um namoro em jugo desigual (2Co 6.14-16), mas não lhe dá a certeza de que tal pessoa será salva. Na dúvida, siga o que é certo, e não o que é duvidoso.

O segundo critério é a paz no coração. Paulo escreveu: "Que a paz de Cristo seja o juiz em seu coração" (Cl 3.15). Portanto, se você vive uma situação de constante atribulação, é hora de pegar o primeiro retorno e sair dela. Isso acontece muito, por exemplo, em relacionamentos afetivos. Sabe esses namoros que mais parecem dramalhões mexicanos, com arroubos de sofrimento, rompimentos dramáticos e voltas novelescas? Onde está a paz? Se não há paz, por que insistir? Ou, quando se decide fechar um negócio, mas fica em agonia sobre se o contrato deve ser assinado ou não. Ou, ainda, na decisão entre seguir a carreira que lhe dará satisfação ou a que lhe dará dinheiro. Não insista no que causa agonia; desista.

Temos de saber a hora de render nossa vontade. Se Deus diz *não...* é não. Se insistirmos no *sim*, só o que conseguiremos é uma vida de sofrimento e dor à espera de algo que jamais chegará.

Pense se os sonhos que você tem não vão contra a vontade de Deus. E, se não forem necessariamente antibíblicos, mas nunca acontecem, busque em oração a resposta do Senhor para saber se o que você planeja não se opõe ao que ele quer. Caso você tenha a convicção de que perseverar nesse objetivo é a vontade divina, vá em frente. Mas... e se não for? Nessa hora, entregue-se em sacrifício vivo ao Senhor e diga: "Seja feita a tua vontade" (Mt 6.10). E, se for do agrado dele que você abra mão de certos objetivos e sonhos, perceba que abandoná-los não significa falta de fé ou de perseverança: é o cumprimento da boa, agradável e perfeita vontade de Deus. Portanto, é o melhor para a sua vida.

Persista. Mas, se o Senhor não quiser, desista. E, com isso, você estará cumprindo a vontade de Deus. Saiba que, muitas vezes, a desistência do que você tanto queria pode se tornar a maior bênção da sua vida. Afinal, "em seu coração o homem planeja o seu caminho, mas o Senhor determina os seus passos" (Pv 16.9).

Uma mensagem de esperança

Se você diz:

— *Meus sonhos não se realizam...*

Deus tem um recado para você:

— *Já pensou que meus planos podem ser diferentes dos seus? Sou eu que conheço os planos que tenho para você.*

Para sua meditação

O Senhor desfaz os planos das nações e frustra os propósitos dos povos. Mas os planos do Senhor permanecem para sempre.

Salmos 33.10-11

Muitos são os planos no coração do homem, mas o que prevalece é o propósito do Senhor.

Provérbios 19.21

Não se vendem dois pardais por uma moedinha? Contudo, nenhum deles cai no chão sem o consentimento do Pai de vocês. Até os cabelos da cabeça de vocês estão todos contados. Portanto, não tenham medo; vocês valem mais do que muitos pardais!

Mateus 10.29-31

Aos pés do Senhor

Pai amado, meus sonhos não se realizam. Tenho feito tudo ao meu alcance para atingir as metas a que me propus, mas parece que nada do que eu faça é suficiente para chegar lá. Não sei mais o que fazer. Será que chegou o momento de desistir de meus planos? Será que preciso abrir mão do que eu quero? Mostra-me se desejas algo diferente para minha vida, pois tudo indica que tu queres que eu me conforme e entregue os pontos. Sei que meu coração é enganoso e que muitas vezes não sou capaz de discernir a tua vontade. Peço-te, então, que me mostres se os meus sonhos estão mesmo de acordo com o que tu queres, por meio da Bíblia e pela paz em meu coração. Confio em ti e sei que, quando dizes *não*, é o melhor para mim. Que, em tudo, seja feita a tua vontade. Dá-me clareza e discernimento para compreender o teu querer. Em nome de Jesus. Amém.

22

FUI MAGOADO POR QUEM MENOS ESPERAVA

Vocês ouviram o que foi dito: "Olho por olho e dente por dente". Mas eu lhes digo: Não resistam ao perverso. Se alguém o ferir na face direita, ofereça-lhe também a outra. E se alguém quiser processá-lo e tirar-lhe a túnica, deixe que leve também a capa. Se alguém o forçar a caminhar com ele uma milha, vá com ele duas. [...] Amem os seus inimigos e orem por aqueles que os perseguem, para que vocês venham a ser filhos de seu Pai que está nos céus.

MATEUS 5.38-41,44-45

Você foi magoado? Sente-se traído pelas atitudes de alguém em quem confiava? Talvez esteja até mesmo revoltado. Sendo assim, precisa refletir sobre um fato: as pessoas são imperfeitas. Todos nós somos. Se eu fosse me espelhar em mim mesmo, jamais confiaria no ser humano, porque sei quanto sou falível. Um texto da Bíblia traduz com perfeição a luta que existe dentro de cada um de nós:

Não entendo o que faço. Pois não faço o que desejo, mas o que odeio. [...] Pois o que faço não é o bem que desejo, mas o mal que não quero fazer, esse eu continuo fazendo. [...] Miserável homem que eu sou! Quem me libertará do corpo sujeito a esta morte? Graças a Deus por Jesus Cristo, nosso Senhor! De modo que, com a mente, eu próprio sou escravo da Lei de Deus; mas, com a carne, da lei do pecado.

Romanos 7.15,19,24-25

124 O fim do sofrimento

Quando você pensa que esse texto foi escrito pelo grande apóstolo Paulo, constata que, de fato, ninguém é perfeito. Ninguém escapa. Todos somos pecadores e, como tais, sujeitos a errar. E, se temos essa tendência em nós, percebemos que estamos no mesmo patamar de qualquer outra pessoa. É precisamente a percepção que tenho quando vejo quão falho eu sou que me faz olhar com compaixão e paciência para as falhas do meu próximo. O que devemos fazer, então, quando alguém nos magoa? O próprio Paulo dá a resposta:

> Não retribuam a ninguém mal por mal. Procurem fazer o que é correto aos olhos de todos. Façam todo o possível para viver em paz com todos. Amados, nunca procurem vingar-se, mas deixem com Deus a ira, pois está escrito: "Minha é a vingança; eu retribuirei", diz o Senhor. Ao contrário: "Se o seu inimigo tiver fome, dê-lhe de comer; se tiver sede, dê-lhe de beber. Fazendo isso, você amontoará brasas vivas sobre a cabeça dele". Não se deixem vencer pelo mal, mas vençam o mal com o bem.
>
> Romanos 12.17-21

Aos que agridem, ofendem e magoam, temos de estender perdão e misericórdia. Ore por eles. Peça a Deus que os abençoe. Precisamos adotar essa atitude tão pouco posta em prática. Mesmo que, muitas vezes, você não consiga, tente. Perdoe.

Isso é dar a outra face, andar a segunda milha. É não revidar a agressão. É ser atacado sem atacar. É sofrer a ferida sem ferir. É fazer o que Jesus fez: "Como uma ovelha que diante de seus tosquiadores fica calada, ele não abriu a sua boca" (Is 53.7). Esse é o padrão bíblico. Se fazemos justiça com as próprias mãos, agimos carnalmente e tomamos do Senhor aquilo que compete a ele. A postura bíblica do verdadeiro cristão é perdoar, e não devolver mal com mal.

Muitos se magoam até mesmo com pessoas da igreja e acabam se afastando da congregação por causa disso — o que é um erro. Não é porque há imperfeições entre os cristãos que abandonaremos o culto a Deus e a comunhão fraternal. Em meus momentos de maior angústia, foram irmãos em Cristo que choraram comigo, me aconselharam e me apoiaram para ficar de pé. Nem todos farão isso. Mas há, sim, muitos cristãos compassivos. E lembre-se da advertência bíblica: "Não deixemos de reunir-nos como igreja, segundo o costume de alguns, mas procuremos encorajar-nos uns aos outros, ainda mais quando vocês veem que se aproxima o Dia" (Hb 10.25).

Todas as pessoas são, sem exceção, pecadoras e falhas — e isso inclui nós, cristãos. A diferença é que somos pecadores que amam Cristo, que se reúnem para lhe prestar culto e para ajudar uns aos outros em nossas fraquezas. Nunca podemos permitir que o pecado nos afaste da família de fé. Só quem quer isso é o Diabo.

Não sinta raiva das pessoas que o agridem. Não revide. Não fique por aí falando mal delas. São pessoas doentes — sofrem do mal chamado *pecado*, assim como você. Ame-as. Ore por elas. E, se o prejudicarem ou magoarem, faça-lhes o bem. Tenha paz com todos. Experimente. Os resultados vão deixá-lo espantado.

Uma mensagem de esperança

Se você diz:
— *Fui magoado por quem menos esperava...*

Deus tem um recado para você:
— *Perdoe quem o magoou, ele é tão imperfeito como você. Faça-lhe o bem, ore por ele, ajude-o no que puder.*

Para sua meditação

Portanto, como povo escolhido de Deus, santo e amado, revistam-se de profunda compaixão, bondade, humildade, mansidão e paciência. Suportem-se uns aos outros e perdoem as queixas que tiverem uns contra os outros. Perdoem como o Senhor lhes perdoou. Acima de tudo, porém, revistam-se do amor, que é o elo perfeito.

Colossenses 3.12-14

Tenham cuidado para que ninguém retribua o mal com o mal, mas sejam sempre bondosos uns para com os outros e para com todos.

1Tessalonicenses 5.15

Tenham todos o mesmo modo de pensar, sejam compassivos, amem-se fraternalmente, sejam misericordiosos e humildes. Não retribuam mal com mal, nem insulto com insulto; ao contrário, bendigam; pois para isso vocês foram chamados, para receberem bênção por herança.

1Pedro 3.8-9

Aos pés do Senhor

Pai amado, fui magoado por quem menos esperava. Estou me sentindo traído pelas atitudes de alguém em quem confiava e, por isso, tenho sentimentos que vão da tristeza à revolta. Ao mesmo tempo, sei que preciso perdoar, pois, afinal, todas as pessoas são imperfeitas. Enche o meu coração de amor, para que eu não me sinta inclinado a retribuir a ninguém mal por mal. Não permitas, Senhor, que eu sinta impulsos de vingança, mas que eu venha, isso sim, a interceder por quem me magoou, a fazer-lhe o bem e a agir conforme deseja a tua vontade. Escolho perdoar e estender misericórdia. Que as decepções que tenho com irmãos em Cristo jamais me afastem de ti ou da igreja. Que a mesma graça e compaixão que tu demonstras em minha vida ao perdoar as minhas falhas e transgressões eu consiga manifestar com relação às demais pessoas — cristãs ou não. Em nome de Jesus. Amém.

23

DEUS SE CANSOU DE MIM

Todo aquele que o Pai me der virá a mim, e quem vier a mim eu jamais rejeitarei. Pois desci dos céus, não para fazer a minha vontade, mas para fazer a vontade daquele que me enviou. E esta é a vontade daquele que me enviou: que eu não perca nenhum dos que ele me deu, mas os ressuscite no último dia.

João 6.37-39

O Senhor não resgata ninguém para descartar depois. Se ele resgata é para tornar aquele indivíduo um filho amado, um servo ativo na obra de Deus e plenamente capacitado para viver em prol do reino dos céus. É um grande equívoco achar que Jesus busca o perdido para depois deixá-lo como estava quando o encontrou, sem função nem utilidade. Esse é um pensamento antibíblico. Jesus fez uma afirmação contundente a esse respeito:

O Filho do homem veio para salvar o que se havia perdido. O que acham vocês? Se alguém possui cem ovelhas, e uma delas se perde, não deixará as noventa e nove nos montes, indo procurar a que se perdeu? E se conseguir encontrá-la, garanto-lhes que ele ficará mais contente com aquela ovelha do que com as noventa e nove que não se perderam. Da mesma forma, o Pai de vocês, que está nos céus, não quer que nenhum destes pequeninos se perca.

Mateus 18.11-14

No relato de Lucas, o Senhor emenda essa parábola com a da moeda perdida:

128 O fim do sofrimento

> Ou, qual é a mulher que, possuindo dez dracmas e, perdendo uma delas, não acende uma candeia, varre a casa e procura atentamente, até encontrá-la? E quando a encontra, reúne suas amigas e vizinhas e diz: "Alegrem-se comigo, pois encontrei minha moeda perdida". Eu lhes digo que, da mesma forma, há alegria na presença dos anjos de Deus por um pecador que se arrepende.
>
> Lucas 15.8-10

Em seguida, Jesus fecha com chave de ouro, contando a famosa história do filho pródigo (Lc 15.11-32). Essas três parábolas mostram que o pensamento de que Deus "se cansa" de alguém não se encaixa na Bíblia, até porque não é compatível com o conceito da graça. Se você acredita que o Senhor se cansou de você, possivelmente é porque tomou atitudes repetidas que, na sua visão, desagradaram tantas vezes o Todo-poderoso a ponto de ele estar farto. Só que é importante lembrar que o perdão do Pai não se esgota. Quando Pedro pergunta a Jesus: "Senhor, quantas vezes deverei perdoar a meu irmão quando ele pecar contra mim?", o Mestre responde: "Eu lhe digo: Não até sete, mas até setenta vezes sete" (Mt 18.21-22). Na cultura judaica da época, "setenta vezes sete" seria o sinônimo de "infinito".

Diante disso, eu o convidaria a uma reflexão. Se Deus nos manda perdoar infinitamente aqueles que pecaram contra nós, quanto mais ele mesmo não perdoará sem limites aqueles que se chegarem a ele em arrependimento sincero? Pense na história da mulher adúltera (Jo 8.1-11). A relação entre pecado e graça sempre deve ser vista segundo a análise do ponto de partida e do ponto de chegada. Para os mestres da lei e os fariseus, o pecado daquela mulher era o ponto de chegada. Aos olhos deles, o pecado tornou-se corpo, alma e espírito; passado, presente e futuro daquela mulher. É só o que viam nela — o pecado. O ponto de chegada daquela alma.

Jesus, não. O Cordeiro de Deus que tira o pecado do mundo viu o pecado daquela mulher como o ponto de partida. Para os olhos divinos, aquela transgressão não representava o topo do edifício, mas apenas mais um degrau da escada. No alto do pódio daquela história estava a graça de Deus. O pecado foi absorvido pela graça. Aquela vida arrependida era o náufrago, e a graça, o bote salva-vidas. O pecado era a noite, e a graça, o amanhecer. Pecado. Arrependimento. Perdão. Restauração. "Eu também não a condeno. Agora vá e abandone sua vida de pecado" (v. 11). Graça.

A história da mulher adúltera é um magnífico retrato da graça do Deus que nunca se cansa dos seus filhos. Um Deus que é santo, que ordena que abandonemos a vida de pecado, mas que também diz que não condena o pecador arrependido. Aquele episódio é uma síntese do plano de salvação: o homem peca, torna-se alvo do acusador, seu pecado o faz digno de punição, mas Jesus entra com graça e "já não há condenação para os que estão em Cristo Jesus" (Rm 8.1).

Deus não se cansa de nós, pois não tem prazer em nos punir. Ele quer nos restaurar. Você pecou e, por isso, crê que Deus se cansou de você e fechou a possibilidade de novos recomeços? Pois então saiba que Deus olha para você e vislumbra o ponto de chegada: a graça. De igual modo, ele olha para os pecadores que mais deixam você escandalizado e vê neles uma excelente oportunidade de exercer sua graça, de fazer a cruz entrar em ação na vida de mais uma alma. Nós olhamos para o pecado e queremos sangue. Deus olha para o pecado e se lembra do sangue de seu Filho. O caso da mulher adúltera não é uma história sobre pecado; é uma história sobre graça. O pecado triunfou no início, no Éden, no ponto de partida. Mas, no ponto de chegada, na Jerusalém celestial, é Cristo quem triunfará. Ali, todos os que foram lavados no sangue do Cordeiro estarão reunidos aos pés do Senhor, louvando e exaltando seu amor sem fim, seu perdão imerecido e sua maravilhosa graça.

Você acha mesmo que Deus se cansou de você? A Palavra afirma que ele não se cansa. Que concede graça infinita mediante a fé. E que há alegria no céu por alguém que é resgatado. Diante disso, acalme seu coração: o Senhor o ama. O Pai deu você a Cristo, e de modo algum ele o perderá.

Uma mensagem de esperança

Se você diz:

— Deus se cansou de mim...

Deus tem um recado para você:

— Eu amo você e não resgato ninguém para depois descartar.

Para sua meditação

Os que conhecem o teu nome confiam em ti, pois tu, Senhor, jamais abandonas os que te buscam.

Salmos 9.10

Um coração quebrantado e contrito, ó Deus, não desprezarás.

Salmos 51.17

O Poderoso fez grandes coisas em meu favor; santo é o seu nome. A sua misericórdia estende-se aos que o temem, de geração em geração.

Lucas 1.49-50

Aos pés do Senhor

Pai amado, às vezes penso que tu estás cansado de mim. Sou invadido por sentimentos de solidão e incapacidade e me vejo indigno do teu amor e da tua compaixão. Nessas horas, recorro à tua Palavra em busca de orientação, e ela me garante que tu não resgatas ninguém para descartar depois. Obrigado por me mostrares nas Escrituras que teu Filho veio para salvar o que se havia perdido e que tua graça não tem limites, pois estás disposto a perdoar setenta vezes sete. Sei que perdoas infinitamente e agradeço por tão grande misericórdia. Estou arrependido de meus pecados e peço perdão, pois sei que não tens prazer em punir, mas sim desejas restaurar. Renova em mim a alegria de tua salvação e ajuda-me a ter sempre a convicção de que não te cansaste de mim. Acalma meu coração, enchendo-o da certeza de que me amas e que de modo algum me perderás ou te afastarás de mim. Em nome de Jesus. Amém.

24

Deus não me ouve

Vejam! O braço do Senhor não está tão encolhido que não possa salvar, e o seu ouvido tão surdo que não possa ouvir.

Isaías 59.1

Nos primeiros dias de vida da minha filha, pude perceber quão impressionante era o poder que seu chorinho estridente exercia sobre mim. O impacto da voz da bebê era tamanho que houve uma semana em que dei entrada três vezes na emergência do hospital com picos de pressão, de tanto que seu choro mexeu com meu coração paterno. O tempo passou. Mas a voz dela continuou tendo uma força inexplicável sobre mim — de formas diferentes.

A primeira palavra que ela disse na vida foi "papai". E falava com uma doçura e um tom de voz que passou a me derreter. Nos momentos de maior tensão, era ela falar aquele "Pa-paaaai…" e eu virava um bobão. Depois que completou 2 anos, passou a articular melhor os pensamentos, e seus carinhos e suas conversas começaram a ganhar cores extremamente convincentes. Não que eu cedesse em tudo, claro, mas confesso que aquela voz conseguiu me levar a ceder muitas vezes.

Quando passou dos 3 anos, já com mais de 14 quilos, ficou difícil suportar seu peso por muito tempo. Por isso, passei a fazer que ela pedisse menos o colo, em especial na rua. Caso contrário, eu ficava com muita dor nas costas. Às vezes, porém, quando estava com muita vontade do meu colo, fazia aquela carinha linda e, com voz sedosa, sussurrava: "Papai… me dá só um pôtinho de tólo?". Pronto. Batalha ganha. Dor, que dor? Cansaço, que cansaço? Aquele clamor tão doce, meigo e sincero me fazia caminhar por quarteirões com ela no colo, cheio de dor e transbordando de amor.

Agora, pense no poder que a sua voz tem junto ao coração do Pai celestial.

Pode ser que você esteja atravessando um momento de sua vida em que acredita que Deus está de ouvidos fechados para a sua voz. Talvez diga coisas como "Deus não está me ouvindo", "O céu está fechado", "Minha oração não passa do teto", "Será que se esqueceu de mim?", e por aí vai. Se você tem dito algo nessa linha, lembre-se do poder que a voz do filho tem junto ao coração do Pai. Ainda mais um Pai que ouve absolutamente tudo o que dizemos. "Será que ele não ouviu minha oração?", você se pergunta. A Bíblia só tem uma resposta a esse questionamento: claro que ouviu. Deus ouve todas as orações. "Antes mesmo que a palavra me chegue à língua, tu já a conheces inteiramente, Senhor" (Sl 139.4). A ideia de que "Deus não ouve a oração" não é bíblica.

Deus é muito sábio. O silêncio dele é uma maravilhosa maneira de ver que tipo de cristãos somos nós. Se o Senhor explicasse suas decisões e seus *nãos* a cada um de nós, aí seria fácil. Mas não é assim que ele age. Tenho visto que um dos principais problemas entre nós, cristãos, não é Deus não atender às nossas orações, mas ele não responder a elas. O silêncio divino é a regra, e isso nos tira do sério. O caminho para permanecermos inabaláveis na fé e no relacionamento com o Senhor é saber que ele está agindo por trás do véu do silêncio. E, se não temos uma resposta, isso absolutamente não significa que ele não nos ouviu. Devemos abandonar essa ideia. Deus é onisciente — ele ouve tudo, ele sabe tudo.

O rei Ezequias recebeu sua sentença de morte (2Rs 20). Virou-se para a parede, chorou amargamente e orou ao Senhor. Creio que sua oração, aos ouvidos do Pai, soou mais ou menos assim: "Papai... me dá só um pôtinho de tólo?". Não consigo visualizar um Deus que solta raios dos olhos e trovoadas das orelhas, sentado num trono distante, ouvindo essa oração de forma fria e respondendo sem nenhuma compaixão ao clamor tão doído de um filho. O que imagino é o Senhor sentado aos pés daquele leito, com um olhar de misericórdia, profundamente tocado pela voz que chegou ao seu coração, estendendo os braços e dizendo: "Está bem, Ezequias, venha aqui para o colo do Pai, que lhe dá mais quinze anos de vida. Agora pare de chorar, pois meu coração está rasgando de amor".

Você é filho. Sua voz atinge o Pai diretamente no coração. Ele ama você. Ele está de ouvidos sempre atentos para ouvi-lo. E uma ótima notícia: Deus não sente dor nas costas. Pode carregá-lo no colo pela duração de uma vida e nunca se cansará. Há poder na sua voz, o poder de mexer profundamente com o amor maior que existe no mundo: o amor do Pai por você.

> Peçam, e lhes será dado; busquem, e encontrarão; batam, e a porta lhes será aberta. Pois todo o que pede, recebe; o que busca, encontra; e àquele que bate, a porta será aberta. Qual de vocês, se seu filho pedir pão, lhe dará uma pedra? Ou se pedir peixe, lhe dará uma cobra? Se vocês, apesar de serem maus, sabem dar boas coisas aos seus filhos, quanto mais o Pai de vocês, que está nos céus, dará coisas boas aos que lhe pedirem!
>
> Mateus 7.7-11

Se você cometeu erros, faça sua voz ser ouvida pelo Pai, e ele lhe dará perdão. Se está exausto, faça sua voz ser ouvida pelo Pai, e ele lhe dará descanso. Se chora baixinho no travesseiro, faça sua voz ser ouvida pelo Pai, e ele enxugará suas lágrimas. Se está em tribulação, faça sua voz ser ouvida pelo Pai, e ele lhe dará paz.

Fale com Papai do céu. Lembre-se de que é impossível a alguém que ama ignorar quem ama. Tenha esta certeza: ele ouve você, sempre. Agora conte para o seu Pai: onde está doendo?

Uma mensagem de esperança

Se você diz:

— *Deus não me ouve...*

Deus tem um recado para você:

— *Eu sempre ouço os meus filhos.*

Para sua meditação

Eu clamo a ti, ó Deus, pois tu me respondes; inclina para mim os teus ouvidos e ouve a minha oração.

Salmos 17.6

Alarmado, eu disse: Fui excluído da tua presença! Contudo, ouviste as minhas súplicas quando clamei a ti por socorro.

Salmos 31.22

Eu amo o Senhor, porque ele me ouviu quando lhe fiz a minha súplica. Ele inclinou os seus ouvidos para mim; eu o invocarei toda a minha vida.

Salmos 116.1-2

Aos pés do Senhor

Pai amado, tenho orado tanto, clamado e chorado aos teus pés, mas a impressão que tenho muitas vezes é que não ouves as minhas orações. É como se eu estivesse falando sozinho. Sei, no entanto, que não posso permitir que as circunstâncias adversas abalem a minha fé, por isso devo prestar atenção à tua

Palavra, e não às minhas impressões e sensações. As Escrituras afirmam que tu conheces minha oração antes mesmo que ela chegue aos meus lábios, o que garante que absolutamente tudo o que se passa em meu coração tu sabes de antemão. Obrigado por essa certeza maravilhosa. Obrigado, também, pela certeza de que a minha voz te toca diretamente no coração e que estás de ouvidos sempre atentos para me ouvir. Há tanto a agradecer, Senhor! Obrigado porque nunca me dás pedra ou cobra, mas me enches de coisas boas! Peço que guardes o meu coração e renoves as minhas forças. Em nome de Jesus. Amém.

25

Deus não atende à minha oração

Coloquei toda minha esperança no Senhor; ele se inclinou para mim e ouviu o meu grito de socorro.

Salmos 40.1

O que fazer quando enfrentamos um problema? Como proceder quando oramos, oramos e oramos a Deus... mas não recebemos o que pedimos? Temos certeza de que o Senhor nos escutou, mas, simplesmente, nossa oração não é atendida. A sensação que temos, nesses casos, é que Deus nos virou as costas. Mas não é isso o que ocorre. Há um acontecimento na vida de Paulo que nos conduz a uma reflexão bem interessante sobre orações não atendidas. Ele escreveu:

Para impedir que eu me exaltasse [...], foi-me dado um espinho na carne, um mensageiro de Satanás, para me atormentar. Três vezes roguei ao Senhor que o tirasse de mim. Mas ele me disse: "Minha graça é suficiente para você, pois o meu poder se aperfeiçoa na fraqueza". Portanto, eu me gloriarei ainda mais alegremente em minhas fraquezas, para que o poder de Cristo repouse em mim.

2Coríntios 12.7-9

Pense comigo: o que diferencia essa experiência de Paulo da sua experiência? Vejamos. Paulo tem um problema. Você tem um problema. Paulo ora a Deus pedindo uma solução. Você ora a Deus pedindo uma solução. Paulo não vê sua oração ser respondida da primeira vez. Você não vê sua oração ser respondida da primeira vez. Paulo persiste na oração, orando uma segunda vez. Você persiste na oração, orando uma segunda vez. Paulo não é atendido. Você não é atendido. Paulo ora sem cessar, clamando uma terceira vez. Você ora sem cessar, clamando uma terceira vez. Paulo não é atendido. Você não é atendido. Tudo igualzinho, notou? A experiência do apóstolo em nada difere da sua. Mas, no caso dele, aconteceu um fenômeno que com você não acontece. É um detalhe de suma importância nessa passagem.

Deus explicou.

Estas palavras de Paulo fazem toda a diferença: "Mas ele me disse" (v. 9). Sim, o Senhor deu uma explicação clara para o fato de não ter respondido ao clamor do apóstolo. E isso tirou do coração de Paulo toda a angústia que sente a pessoa que ora, mas não é atendida. Havia uma explicação. Mesmo que seu desejo não tivesse sido satisfeito, Paulo agora sabia a razão. E podia seguir em paz, pois tomou conhecimento do que levou Deus a não lhe conceder o que queria. E essa é a grande diferença entre a experiência do apóstolo e a sua: ele recebeu uma justificativa. Com você e comigo isso não acontece. Ninguém nos diz por que nosso pedido ao Todo-poderoso foi negado.

Faça um exercício de imaginação. Suponha que Deus tivesse ficado quieto e simplesmente não houvesse explicado a Paulo por que não tinha atendido a seus pedidos. O apóstolo permaneceria ali, clamando, cheio de perguntas na cabeça. "Será que Deus não me ouviu?" "Será que só me atenderá daqui a muitos anos?" "Será ao menos que algum dia ele atenderá ao meu clamor?" Será, será, será...?

Paulo poderia ter feito isso, e não seria nenhuma novidade. Afinal, não é exatamente o que fazemos?

Deus, em sua soberania, decidiu que não atenderia à oração de Paulo. Não teve nada a ver com falta de fé, ação do Diabo, pecado não confessado, nada disso. Simplesmente o Senhor disse *não* à oração do apóstolo porque queria proteger seu filho amado de pecar pela soberba. E é precisamente o que ele faz conosco em muitas situações semelhantes. Nós oramos, clamamos, nos esgoelamos, mas não somos atendidos. E aí as dúvidas invadem nossa mente, e ficamos angustiados, cheios de conjecturas, sofrendo e questionando Deus. O que acontece é que ele decide não nos dar o que pedimos. Ouve, pondera e responde *não*. Ponto.

Se Deus não tivesse afirmado explicitamente a Paulo que sua oração não seria atendida, é possível que, fosse ele um crente temperamental, "ficasse de mal" com o Senhor ou mesmo se desviasse da fé. Não é o que muitos de nós fazemos? Quando não recebemos de Deus o que pedimos, o deixamos de lado? Ou, então, tomamos as rédeas da situação e agimos pela força da nossa mão? Quero a cura, mas, como não fui curado, vou procurar socorro em outra religião. Quero prosperidade, mas, como não tive aumento de salário, vou atrás de atalhos. Quero me casar, mas, como não encontrei ainda a pessoa ideal, vou buscar no mundo. E coisas do gênero.

O fato de Deus decidir não atender à nossa oração mostra o alcance de nossa fé, estimula nossa perseverança e prova até onde estamos dispostos a segui-lo tendo "somente" a graça divina para nos conduzir. Usei aspas porque, afinal, a graça dele nos basta. O Senhor sabe disso; nós é que não nos contentamos com ela. O silêncio diante de uma oração é a maneira pela qual Deus nos mostra quem somos: perseverantes ou negligentes, fiéis ou descompromissados, gratos ou interesseiros.

Muitas vezes Deus decide que atender a nossos pedidos não é o melhor. Se confiarmos nele, isso nos conformará e confortará. Se não confiarmos... é hora de repensar todo o nosso relacionamento com o Senhor, porque estamos longe de entendê-lo. Deus vai negar muitos dos seus pedidos. Foi o que aconteceu com Paulo — e é o que acontece conosco. Num caso raro, o apóstolo foi presenteado com uma explicação da boca de Deus. Nós não somos. Diante disso, nosso papel é orar, perseverar e esperar com paciência. E se, depois de tudo, não formos atendidos, lembremos sempre das palavras do mesmo Paulo: "Deem graças em todas as circunstâncias, pois esta é a vontade de Deus para vocês em Cristo Jesus" (1Ts 5.18).

Orou mas não recebeu o que pediu? Dê graças. Em todas as circunstâncias, dê graças. Pois, se não recebeu, é porque não receber é o melhor. Não receber é pão e peixe. "Qual de vocês, se seu filho pedir pão, lhe dará uma pedra? Ou se pedir peixe, lhe dará uma cobra? Se vocês, apesar de serem maus, sabem dar boas coisas aos seus filhos, quanto mais o Pai de vocês, que está nos céus, dará coisas boas aos que lhe pedirem!" (Mt 7.9-11).

Agradeça ao Pai se a sua oração não foi atendida, na certeza de que, se o Senhor decidiu não lhe dar o que pediu, o *não* dele é o melhor para você.

Uma mensagem de esperança

Se você diz:
— *Deus não atende à minha oração...*

Deus tem um recado para você:
— *Eu sei o que é melhor para você.*

Para sua meditação

Clamo a Deus, e o SENHOR me salvará. À tarde, pela manhã e ao meio-dia choro angustiado, e ele ouve a minha voz.

Salmos 55.16-17

Deus me ouviu, deu atenção à oração que lhe dirigi. Louvado seja Deus, que não rejeitou a minha oração nem afastou de mim o seu amor!

Salmos 66.19-20

Esta é a confiança que temos ao nos aproximarmos de Deus: se pedirmos alguma coisa de acordo com a vontade de Deus, ele nos ouvirá. E se sabemos que ele nos ouve em tudo o que pedimos, sabemos que temos o que dele pedimos.

1João 5.14-15

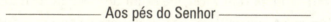
Aos pés do Senhor

Pai amado, muitos são os meus problemas. Eu tenho orado tanto, mas parece que tu não desejas atender ao meu clamor. Tenho certeza de que me escutas, mas não consigo enxergar resposta à minha oração. Chego a ter a sensação de que tu me viraste as costas. Explica-me, Senhor, para que eu compreenda por que as coisas estão acontecendo desse modo, pois eu não entendo. Sei, no entanto, que tu sabes o que é melhor para mim, muito mais do que eu mesmo, e que quando dizes *não* ao meu clamor é para o meu bem. Por isso, oro como Jesus nos ensinou: seja feita a tua vontade, assim na terra como no céu. Confio nas tuas decisões e na tua soberania. Jamais tentarei tomar de tuas mãos as rédeas das circunstâncias, pois entendo que existe um propósito maior e mais excelente nas tuas ações. Que eu passe por essa fase ruim aprovado em minha fé, sabendo que a tua graça me basta. No pouco ou no muito, eu te glorifico e te dou graças. Obrigado, Pai. Amém.

26

NÃO ESTOU SENTINDO A PRESENÇA DE DEUS

"Não sou eu aquele que enche os céus e a terra?", pergunta o
SENHOR.

JEREMIAS 23.24

Será que você tem andado triste ultimamente porque não sente
mais a presença de Deus? Se é o caso, há algumas realidades que
precisa saber. Pouco antes de ascender ao céu, Jesus disse: "E eu
estarei sempre com vocês, até o fim dos tempos" (Mt 28.20).
Geralmente, numa despedida, as pessoas deixam para falar ao
final o que há de mais importante, para que aquilo ecoe para
sempre nos ouvidos do receptor. É comum darmos atenção às
últimas palavras de alguém que está à beira da morte, por exemplo, pois entendemos que existe um significado especial naquilo
que será a mensagem derradeira dele. Logo, não foi à toa que
Jesus deixou para dizer essas exatas palavras em seus últimos
instantes na terra. Elas deveriam ecoar diariamente em nossa
mente: os tempos ainda não chegaram ao fim, portanto Jesus
está conosco. E preste atenção nisto: o Mestre disse *sempre*. E,
obviamente, o hoje faz parte de *sempre*. Assim, Jesus está hoje
com você.

Então, temos aqui um conflito. De um lado, Jesus fez questão de deixar ecoando na sua mente a absoluta e irrefutável
certeza de que ele estaria com você hoje. Do outro lado, está
você, triste, porque diz que não sente a presença de Jesus hoje.
Não creio que Cristo tenha mentido. Sendo assim, a questão

não é se ele está ou não com você (pois ele está, como afirmou que estaria); o problema é que você tem a percepção da ausência dele. É isso que tem de ser trabalhado.

A presença é algo incrivelmente forte. Proporcionalmente, a ausência também. Quem é que nunca "morreu de saudade" de alguém? E observe que associar saudade a morte fala muito sobre a força que tem a ausência de uma pessoa amada. Quando amamos, a presença se torna imprescindível. Amor sem presença é um universo inteiro dentro do peito composto só de espaços vazios: sem sol, sem lua, sem estrelas, nada — um vácuo, escuro e silencioso.

Corremos para encontrar nosso amor. Armamos esquemas para poder estar juntos alguns minutinhos a mais no dia. Pegamos aviões para passar um fim de semana que seja com o amado que mora em outra cidade. Enviamos *e-mails*. Trocamos mensagens. Aguardamos, aflitos, sinais de vida de quem amamos: é só o celular tocar ou o barulhinho de chegada de *e-mail* soar que o coração dispara. O amor exige presença. Nunca me esqueço de uma conversa que tive com uma pessoa que tinha perdido seu noivo de forma trágica. Ela me disse: "Sei que ele morreu há muitos anos, mas até hoje eu o amo". Que coisa forte! Pensar nisso me impacta e me deixa emocionado. E eu via nela o sofrimento da ausência forçada. A distância nos faz morrer de saudade.

A ausência machuca. A ausência de alguém que amamos pode ser dolorosa e sufocante. Na ausência, há uma presença assombrosa do ser amado, que habita pensamentos, lembranças e sentimentos com a constância do pulsar de um coração. Só que é uma presença sem resposta, pois o outro está longe. Não se pode tocar nele, conversar com ele, olhar em seus olhos. É ter uma fome que jamais se sacia — até que, um dia, a presença se faz percebida de modo concreto.

Creio que esse é o caso de quem diz que não está sentindo a presença de Deus: anseia-se desesperadamente por uma presença mais palpável do que a que ocorre naquele momento. Jesus está ali. O servo, porém, considera aquilo insuficiente. É como se dissesse: "Deus, por favor, pega um avião e vem até aqui para que eu possa te tocar, te abraçar, te beijar e olhar dentro dos teus olhos!". Só que Deus não pega avião algum. E, na verdade, nunca o fará. Então, restam dois caminhos: ou o filho que se sente abandonado se conforma, ou busca meios de perceber a presença divina. E que meios são esses?

Oração e estudo da Bíblia.

Pode parecer óbvio. E é. Afinal, esse é o meio pelo qual Cristo se faz presente entre nós desde que ascendeu aos céus. É na comunicação com ele que você se aperceberá de sua presença. Pois ele está aí, juntinho de você. Talvez você é que não se dê conta! E, por isso, não "sente a presença de Deus". É como pôr a mão no fogo e não sentir o calor. Quer sentir o calor desse fogo? Ore. Estude as Escrituras. E as portas da percepção dessa presença se abrirão. Se é óbvio... basta pôr o óbvio em prática.

A ausência de quem se ama é uma das piores dores do mundo. Não inflija a si mesmo essa dor pelo fato de supor que está ausente alguém que, na verdade, está sempre presente. E sempre é sempre. Portanto, ele está aí agora, porque afirmou isso e não é mentiroso. Assim, chegamos a um ponto crucial: se você não *sente* a presença de Deus, lembre-se de que, racionalmente, precisa ter a convicção da presença de Deus. Em vez de se entristecer por não *sentir*, alegre-se por *saber* que ele se faz presente.

Jesus está com você. Ele está bem aí. Não sofra pela ausência de quem não está ausente. O que falta é você se dar conta — pela oração e pela Palavra — de que ele não foi a lugar algum. E permanece com você todos os dias, até o fim dos tempos.

Uma mensagem de esperança

Se você diz:
— *Não estou sentindo a presença de Deus...*

Deus tem um recado para você:
— *Eu continuo aqui, hoje e para sempre.*

Para sua meditação

Como é precioso o teu amor, ó Deus! Os homens encontram refúgio à sombra das tuas asas. Eles se banqueteiam na fartura da tua casa; tu lhes dás de beber do teu rio de delícias. Pois em ti está a fonte da vida; graças à tua luz, vemos a luz.

Salmos 36.7-9

O Senhor está perto de todos os que o invocam, de todos os que o invocam com sinceridade.

Salmos 145.18

Onde se reunirem dois ou três em meu nome, ali eu estou no meio deles.

Mateus 18.20

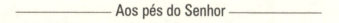
Aos pés do Senhor

Pai amado, estou triste, porque não tenho sentido a tua presença. Minha sensação é que estás distante e que não acompanhas mais os meus passos. Sei, porém, que Jesus prometeu estar sempre comigo, até o fim dos tempos. Por isso, reconheço que estou com uma percepção equivocada sobre a tua presença e peço que me ajudes a superar esta fase. Se a tua presença dependesse do meu sentir, a realidade seria a tua dolorosa ausência, mas sei que não é o caso. Conduze-me, Senhor, à tua presença por meio da oração e do estudo da tua Palavra, que estabelecem o relacionamento entre nós como nenhum outro meio. Sei que és presente em minha vida a todo instante. Peço-te que me ajudes a superar minha necessidade de *sentir* e a substituí-la pela certeza que adquirimos pelo *saber*. Obrigado, Pai, porque não vais a lugar algum, mas permaneces comigo e em mim todos os dias de minha vida. Amém.

27

Estou espiritualmente desanimado

Clame a mim e eu responderei.

JEREMIAS 33.3

Você está se sentindo espiritualmente fraco? Sem ânimo até para frequentar a igreja? Já faz tempo que não ora, jejua ou mesmo pega a Bíblia para ler? Não tem se dedicado a compartilhar o amor de Cristo? Está frio na fé? Se você está sem forças para viver sua vida devocional de relacionamento com Deus, lembre-se das palavras de Paulo: "Quando sou fraco é que sou forte" (2Co 12.10), e do que o Senhor disse: "O meu poder se aperfeiçoa na fraqueza" (v. 9). Nessas horas, pode surgir uma dúvida: como você pode ser fortalecido em meio à sua fraqueza espiritual? Por meio de um fenômeno chamado avivamento.

Avivamento é um dos conceitos mais falados na igreja, mas menos compreendidos. Há muitas ideias erradas sobre seu real significado. A primeira pista está no próprio nome. A maioria de nós entende "avivamento" como "o ato de tornar vivo", ou seja, pegar algo morto e lhe dar vida. Só que essa não é a única definição. O dicionário explica que "avivar" também é "dar vivacidade a algo", "tornar mais vivo", "renovar". Então, "avivamento" não se refere somente a dar vida a algo morto. Se isso fosse verdade, avivamentos espirituais viriam apenas sobre o mundo — que está morto em seus delitos e pecados —, e não sobre a Igreja. Só que avivamentos acontecem justamente em meio ao Corpo de Cristo. Portanto, o conceito essencial de avivamento cristão é "dar vivacidade à Igreja", "tornar a Igreja mais viva". Assim, uma igreja que precisa de avivamento é aquela que nunca deixou de estar viva, porque está enxertada na Videira, mas que se encontra sem vivacidade, isto é, sem fulgor, energia, vigor.

A perda de vivacidade do cristão ocorre não no que diz respeito à salvação, mas sim a um relacionamento tão mirrado com Deus e o próximo que o indivíduo torna-se espiritualmente esquelético. Pele e osso. A imagem que me vem à mente quando penso no cristão que precisa de um avivamento é a dos sobreviventes dos campos de concentração nazistas na Segunda Guerra Mundial. Olhe para as fotos daqueles homens e mulheres raquíticos e responda-me, sinceramente: parecem pessoas plenamente vivas? Ou parecem não ter nenhuma vivacidade, mortas em vida? Quase zumbis? Aqueles homens e mulheres estavam vivos, o ar entrava em seus pulmões e o sangue circulava por suas artérias, mas se encontravam apáticos. Acordavam de manhã sem propósitos. Sobreviviam, sem viço e sem vigor. Do que eles precisavam assim que foram resgatados dos campos de concentração?

Ser avivados.

Aqueles esqueletos ambulantes saíram do cativeiro famintos e sedentos, desesperados por comer e beber e, assim, nutrir o corpo. De igual modo, cristãos espiritualmente esqueléticos que são tocados pelo Espírito Santo tornam-se famintos e sedentos de Deus, desesperados por ter mais e mais do Senhor.

Cristãos sem fulgor, energia e vigor estão extremamente desnutridos, mas não se dão conta disso. É quando chega o avivamento: Deus os toca sobrenaturalmente e desperta neles uma fome incontrolável, que antes não sentiam — e fome de

Deus. Na prática, o avivamento põe você de joelhos, numa busca ávida por relacionamento com o Senhor. Também o leva a mergulhar nas páginas das Escrituras, numa sede gigantesca por conhecer mais do Criador. Desperta no seu coração um amor sem tamanho pelos perdidos, que conduz invariavelmente ao compartilhamento ousado de Cristo — evangelismo. O avivamento também acende em sua alma o fogo do amor ao próximo e o leva a atos de devoção, entrega e caridade. Em outras palavras, o cristão avivado é o que deseja relacionar-se sempre e mais com Deus, e que transborda de amor pelo próximo.

Haveria muito mais a dizer sobre avivamento. Mas esta é a essência: o avivamento cristão é a busca desesperada por relacionamento com Jesus de Nazaré. É a injeção caudalosa de Deus nas veias de almas apáticas, improdutivas e espiritualmente esqueléticas. É a seiva da Videira fluindo com tal força que transborda e espirra para todos os lados, fazendo cada vez mais galhos se ligarem ao seu tronco.

Historicamente, os avivamentos ocorrem por iniciativa única e exclusiva do Senhor. É uma ação unilateral. Eu não posso "produzir" um avivamento. Mas, quando olhamos para os grandes avivamentos da história, vemos um aspecto em comum: sempre havia um pequeno núcleo de cristãos que oravam incansavelmente, clamando a Deus que mandasse um despertamento. Se você está espiritualmente desanimado, é isso o que pode fazer: pedir e esperar, exatamente como os sobreviventes dos campos de concentração. Eles não tinham como produzir alimento ou vida do nada. Mas podiam pedir. No dia em que o exército aliado libertou os sobreviventes do Holocausto, a primeira coisa que aquelas pessoas pediram aos soldados libertadores foi comida e bebida. E receberam.

Você quer experimentar um avivamento em sua vida? Estude as Escrituras. Ore. Peça. Clame. E, se for do agrado de Deus promover um verdadeiro avivamento, prepare-se para ter a maior fome e sede de Jesus que você já sentiu em toda a sua vida.

Uma mensagem de esperança

Se você diz:
— *Estou espiritualmente desanimado...*

Deus tem um recado para você:
— *Ore a mim por avivamento e busque-me de todo o coração.*

Para sua meditação

Nossa esperança está no Senhor; ele é o nosso auxílio e a nossa proteção. Nele se alegra o nosso coração, pois confiamos no seu santo nome. Esteja sobre nós o teu amor, Senhor, como está em ti a nossa esperança.

Salmos 33.20-22

Cria em mim um coração puro, ó Deus, e renova dentro de mim um espírito estável. Não me expulses da tua presença, nem tires de mim o teu Santo Espírito. Devolve-me a alegria da tua salvação e sustenta-me com um espírito pronto a obedecer. Então ensinarei os teus caminhos aos transgressores, para que os pecadores se voltem para ti.

Salmos 51.10-13

Eu sou o pão da vida. Aquele que vem a mim nunca terá fome; aquele que crê em mim nunca terá sede.

João 6.35

Aos pés do Senhor

Pai amado, estou me sentindo espiritualmente fraco, desanimado e sem energias. Já faz tempo que não oro, não jejuo, não pego a Bíblia para ler nem pratico outras atividades da vida devocional. Não sei explicar muito bem, mas um abatimento grande veio sobre minha vida, e estou sem forças para me dedicar ao relacionamento contigo. Contudo, sei que quando sou fraco é que sou forte, pois o teu poder se aperfeiçoa na minha fraqueza, e é por essa razão que clamo por avivamento. Toca-me sobrenaturalmente e desperta em mim uma fome incontrolável de ti. Desejo ficar novamente de joelhos, em oração a ti, e voltar às páginas das Escrituras. Aviva-me, Senhor! Renova a chama em meu coração! Que a seiva da Videira flua com tal força que transborde em minha vida e para os que estiverem ao meu redor. É o que te peço, em nome de Jesus. Amém.

28

ESTOU ANGUSTIADO, POIS NÃO SEI OS PLANOS DE DEUS PARA MINHA VIDA

"Sou eu que conheço os planos que tenho para vocês", diz o SENHOR.

JEREMIAS 29.11

"Como eu sei os planos de Deus para minha vida? Como sei se estou cumprindo a vontade dele para mim?" Esse questionamento é muito frequente entre os cristãos. Comigo não foi diferente. No período seguinte à minha conversão, essas perguntas me assombravam. Todos diziam que eu tinha de seguir a vontade de Deus. Mas como fazer isso se o Altíssimo não aparecia para mim em meio a uma sarça ardente e dizia o que esperava para minha vida? Era um mistério, e eu vivia pedindo a ele uma resposta. Mas nada. Nem um sussurro. Nenhuma revelação sobrenatural. Só o silêncio.

A resposta veio. Mas não como eu esperava. E, quando ela chegou, aprendi que as respostas de Deus aos nossos questionamentos vêm de formas inesperadas. Veja, *saber* para onde o Senhor queria que eu fosse, que rumo eu devia tomar, qual era sua vontade para minha vida era algo muito importante, que eu vivia me perguntando e perguntando a Deus. Eu queria saber o futuro! Queria saber os desígnios do Todo-Poderoso para os anos a seguir! Queria ser o dono do conhecimento!

Foi então que aconteceu. Em 1999, viajei a Nova York, onde fiquei hospedado na casa de um amigo. Meu sonho de longa data era visitar as igrejas de negros do Harlem, para conhecer pessoalmente o canto *gospel* de raiz. Sim, eu tinha sonhado muito com aquilo. Estava de férias, desligado da questão de "Deus, para onde eu vou?". O domingo se aproximou e perguntei ao meu amigo como fazia para encontrar uma boa igreja no Harlem onde pudesse experimentar o *gospel* de raiz. Ele me respondeu que não fazia ideia, mas que havia uma igreja muito visitada no centro de Manhattan, a Times Square Church, e me deu as dicas de como chegar lá.

Conformado, acabei mesmo indo àquela igreja, pastoreada então, mal sabia eu, pelo saudoso David Wilkerson, o celebrado pastor e autor do clássico *A cruz e o punhal*. Só descobri isso quando, chegando domingo de manhã à igreja, vi aquele senhor de cabelos brancos atravessando a rua ao meu lado. "Uau, é o David Wilkerson!", me assustei. E fui em frente. Pensei com meus botões: "Se é essa celebridade quem vai pregar, só pode vir uma bela palavra". Entrei naquele belíssimo prédio, com membresia da alta sociedade nova-iorquina, o louvor conduzido por um talentoso coral. Tudo que me impressionava era a grandiosidade do lugar e a tecnologia. Naquele momento, não estava nem aí para saber "quais são os planos de Deus para minha vida". Estava deslumbrado e empolgado por poder ouvir David Wilkerson pregar. Chegou, enfim, a hora da pregação, e eis que sobe ao púlpito... o pastor auxiliar. Frustrado, afundei na cadeira.

Wilkerson sentado, eu decepcionado e o pastor Carter Conlon ao microfone. E, finalmente, a resposta veio. Aquele homem sem fama ou *best-sellers* escritos, no meio de minhas férias, a milhares de quilômetros de minha igreja local, sem que eu estivesse nem aí no momento para os planos de Deus para minha vida... pregou a resposta à pergunta que eu vinha fazendo. Foi uma mensagem simples. Sem grandes argumentos.

154 O fim do sofrimento

Sem muito brilhantismo. Puro feijão com arroz espiritual. Mas que saciou uma fome de anos. Não houve um grande coral de anjos cantando enquanto o céu se abria, fogos explodindo e a grande revelação vindo direto do sétimo, oitavo ou nono céus. Nada disso. Em voz calma e baixa, o pastor Conlon simplesmente disse, como quem comenta um fato corriqueiro com um amigo, mais ou menos o seguinte:

— Você quer que os planos de Deus para a sua vida se cumpram? Quer que a vontade dele para você se torne realidade? Saber é difícil, nós mesmos nunca saberemos. Mas Deus sabe. Não é uma questão de *saber*, mas de deixá-la *se cumprir*. Então, se você quer sair daqui e ir para o Brooklyn sem saber o caminho, o que faz? Pega um ônibus que tenha ao volante um motorista com as informações sobre como chegar lá. Depois, basta ficar ali, perto dele, até que chegue ao destino. Do mesmo modo, se você quer cumprir o plano de Deus para a sua vida, tudo o que tem a fazer é ficar perto de quem sabe como conduzi-lo até seu destino. Fique sempre perto de Jesus, e todos os planos dele para você se cumprirão. Você não precisa *saber*. Basta estar junto a Deus e esperar, pois, um dia após o outro, todas as coisas cooperarão para que a vontade dele se realize em sua vida.

Simples. Bíblico. Sem estardalhaços. Pura explanação eficiente e inteligente das verdades bíblicas. Naquele momento, eu congelei. Primeiro, porque percebi que Deus tinha respondido à minha pergunta. Segundo, porque foi de modo totalmente diferente de como eu esperava. Terceiro, porque mostrou-me que eu estava fazendo a pergunta errada: o importante não era *saber*, mas o que *fazer*.

Fui embora da Times Square Church levando debaixo do braço um livro com pregações de David Wilkerson e uma fita

Estou angustiado, pois não sei os planos de Deus para minha vida **155**

cassete com mensagens dele, cortesia para os visitantes de primeira vez. Mais importante que isso, porém, saí dali com uma autêntica experiência com Deus. Sim, Deus tinha falado — e me dado uma bronca ao mesmo tempo. Fiquei feliz por finalmente conhecer a resposta à minha pergunta: para cumprir o plano, a vontade de Deus em minha vida, tudo o que eu tinha de fazer era estar junto dele a cada dia.

A história poderia terminar aqui, mas gostaria de prosseguir mais um pouco.

Fui embora dali sem ter realizado o sonho de ouvir o *gospel* dos negros do Harlem, pois a Times Square Church é uma igreja de brancos, com louvores para brancos, ao estilo dos brancos. Mas dei de cara com uma estação do metrô. Parei. Pensei. E disse a Deus: "É contigo, Senhor". Embarquei e fui para o Harlem, sem ter noção de onde ia, totalmente às cegas. Era hora do almoço, chance mínima de realizar meu sonho de ouvir o autêntico canto *gospel* de raiz. Saí sozinho, no meio do bairro, e comecei a andar pelas ruas. Em pensamento, orei: "Senhor, não conheço nada ao redor. Não tenho ideia de onde ir. Mas estou contigo. Conduze-me". Foi quando dobrei uma esquina e dei de cara não com uma igreja, mas com um palco montado numa rua interditada, onde vinte igrejas haviam se reunido para um dia de louvor a Deus, com corais, grupos, duetos, quintetos, solistas e os mais variados tipos de autênticos músicos do *gospel* de raiz se sucedendo na plataforma. Sentei quietinho e isolado numa cadeira, o único latino em meio a centenas de negros, e vivi ali em êxtase um dos dias mais inesquecíveis da minha vida. Deleite para minha alma e a realização de um sonho, multiplicado por vinte.

Não precisei *saber* para onde ir. Mas Deus conhecia meu desejo e tinha seus planos para minha tarde: dar-me de presente muito mais do que eu tinha pedido. Alegrei-me no Senhor,

156 O fim do sofrimento

e ele concedeu o desejo do meu coração. Tudo o que precisei fazer foi estar junto dele, dar um passo após o outro e dizer: "Pai, aqui estou. Leva-me aonde tu quiseres e cumpre em mim a tua vontade".

Desde então, não busco mais saber meu futuro: vivo um dia após o outro. E, se hoje olho para trás e vejo como Deus conduziu minha vida nos últimos anos, desde aquele dia de maio de 1999, sorrio e percebo claramente como os planos dele para mim têm todos se cumprido. O que ele reserva para meus próximos anos? Sinceramente, não sei. E, sinceramente, não faço questão de saber. Apenas entrego meu caminho ao Senhor, confio nele e sei que o mais ele fará.

Confie nisso. Pois aquela pregação do pastor Carter Conlon não foi só para mim. Tenho certeza de que foi para você também.

Uma mensagem de esperança

Se você diz:
— *Estou angustiado, pois não sei os planos de Deus para minha vida...*

Deus tem um recado para você:
— *Caminhe comigo, e todos os meus planos para você se cumprirão.*

Para sua meditação

Mas eu, quando estiver com medo, confiarei em ti. Em Deus, cuja palavra eu louvo, em Deus eu confio, e não temerei.

Salmos 56.3-4

O Senhor Deus é sol e escudo; o Senhor concede favor e honra; não recusa nenhum bem aos que vivem com integridade. Ó Senhor dos Exércitos, como é feliz aquele que em ti confia!

Salmos 84.11-12

Assim, aproximemo-nos do trono da graça com toda a confiança, a fim de recebermos misericórdia e encontrarmos graça que nos ajude no momento da necessidade.

Hebreus 4.16

Aos pés do Senhor

Pai amado, estou angustiado, pois quero viver da forma que desejas e cumprir todos os teus propósitos para mim, mas não consigo ter a segurança de estar realizando os planos que tens para minha vida. Quero descobrir se estou cumprindo a tua vontade, mas não sei como posso ter essa certeza. Obrigado pela convicção de que, se eu caminhar diariamente junto a ti, estarei seguindo rumo ao alvo que traçaste para minha vida. Por isso, peço-te que me ajudes a superar todas as circunstâncias que tentam me afastar de ti. Tira de minha alma o peso da angústia de querer saber aonde ir e substitui-o pela alegria de caminhar passo a passo contigo, um dia após o outro. Pai, aqui estou. Leva-me aonde tu quiseres e cumpre em mim a tua vontade. Em nome de Jesus, eu te peço. Amém.

29

Minha vida acabou

O justo passa por muitas adversidades, mas o Senhor o livra de todas.

Salmos 34.19

As circunstâncias levam muitas pessoas a pensar que a vida acabou. Dificuldades, frustrações, decepções, dores, becos sem saída, dissoluções de famílias, perda de emprego, doenças complicadas. Muitas são as razões que podem levar à ideia de que tudo terminou. Se você está nessa situação, é importante que preste atenção em algo: nossa vida terrena tem um único ponto final — a morte. Antes que ela chegue, tudo sempre faz parte de um processo contínuo e interminável de erros e acertos, alegrias e decepções, perdas e conquistas, pecados e arrependimentos, altos e baixos. Não existe ponto final enquanto estamos vivos. A caminhada é contínua e não tem linha de chegada.

Muitas pessoas chegam até mesmo a pensar em suicídio, pois não veem perspectivas de futuro. Se for o seu caso, uma sugestão: procure conversar com quem tentou o suicídio e sobreviveu. Você ficará espantado com quanto aprenderam depois que ultrapassaram aquele ponto em que consideravam que a vida tinha acabado. Aprenderam muito — sobre a vida, sobre Deus, sobre elas mesmas. Converse com elas e verá que, sem dúvida, aquela vírgula que pensavam ser o ponto final foi somente mais um momento. Uma importante etapa de vivência e amadurecimento, mas apenas isso: uma etapa. Se tivessem cessado ali sua história, não teriam descoberto o tanto que descobriram depois.

Se você parar para pensar na sua vida, é possível que identifique momentos em que tudo mudou. Sua existência deu uma guinada, e, então, você percebeu que aquele patamar não era a cobertura do edifício, mas apenas mais um entre tantos degraus na escada de subida.

A vida é surpreendente a esse respeito. Inclusive no que tange à sua finitude. Um tio meu ficou doente. Foi internado. Desenganado. Meus primos foram ao hospital para se despedir. Um deles conversou comigo com voz embargada ao telefone, acreditando ter falado pela última vez na vida com seu pai. Naquele leito de morte, meu tio entregou a vida a Jesus. O desenlace era certo e previsto. O ponto final tinha chegado. Mas... ele começou a reagir. Foi desentubado. Saiu do CTI. Dias depois, recebeu alta, para nosso espanto e alegria. Aquele maravilhoso milagre dos céus mostrou ser uma vírgula, e não um ponto final. Não tem jeito: só Deus sabe quanto e o que ainda temos pela frente. E, enquanto não chegar a hora determinada, a promessa é de livramento e proteção:

Ele o livrará do laço do caçador e do veneno mortal. Ele o cobrirá com as suas penas, e sob as suas asas você encontrará refúgio; a fidelidade dele será o seu escudo protetor. Você não temerá o pavor da noite, nem a flecha que voa de dia, nem a peste que se move sorrateira nas trevas, nem a praga que devasta ao meio-dia. Mil poderão cair ao seu lado, dez mil à sua direita, mas nada o atingirá. Você simplesmente olhará, e verá o castigo dos ímpios. Se você fizer do Altíssimo o seu abrigo, do SENHOR o seu refúgio, nenhum mal o atingirá, desgraça alguma chegará à sua tenda. Porque a seus anjos ele dará ordens a seu respeito, para que o protejam em todos os seus caminhos; com as mãos eles o segurarão, para que você não tropece em alguma pedra. Você pisará o leão e a cobra; pisoteará o leão forte e a serpente. "Porque ele me ama, eu o resgatarei; eu o protegerei, pois conhece o meu nome. Ele clamará a mim, e eu lhe darei resposta, e na adversidade estarei com ele; vou livrá-lo e cobri-lo de honra. Vida longa eu lhe darei, e lhe mostrarei a minha salvação."

Salmos 91.3-16

Pense na vista que você tem quando voa de avião. Do alto, você vê muito além do que na terra, contempla o horizonte, as montanhas, as nuvens, os rios e pode, até mesmo, enxergar duas ou três cidades ao mesmo tempo. A diferença entre a visão de Deus sobre a nossa vida e a nossa visão tem uma relação equivalente a isso. Nós, humanos, mal enxergamos um palmo à frente do nariz. O Senhor enxerga de forma panorâmica, ampla e ilimitada. Em sua onisciência, ele vê passado, presente e futuro de uma só vez, percebe todos os lugares simultaneamente, vê o horizonte, as montanhas, as cidades e o coração de cada um de nós, tudo ao mesmo tempo. Na verdade, pensando bem, na visão do Senhor não há horizonte, pois não há fim para o que o Altíssimo vê. Creio que ele ri consigo quando pensamos que uma vírgula de nossa vida é um ponto final. Pois só Deus pode afirmar isso.

Seu caminho nunca termina antes da linha de chegada. E não estou falando de morte apenas, mas, principalmente, dos propósitos que Deus tem para você. Enquanto não terminar de combater o bom combate, tenha a certeza de que não chegou ao lugar em que o Senhor deseja que lance âncora. Enquanto seus olhos se abrem de manhã e o ar entra em seus pulmões, isso significa que Deus ainda quer fazer algo em você e por meio de você. Não existe "ápice da vida". O que existe é... vida.

A vida neste mundo só acabará quando Deus quiser. Enquanto isso, fortaleça suas pernas, respire fundo, confie no Senhor e vá em frente!

Uma mensagem de esperança

Se você diz:
— *Minha vida acabou...*

Deus tem um recado para você:
— *Você ainda tem muito pela frente, muito mais do que consegue imaginar.*

Para sua meditação

Tu, Senhor, manténs acesa a minha lâmpada; o meu Deus transforma em luz as minhas trevas. Com o teu auxílio posso atacar uma tropa; com o meu Deus posso transpor muralhas.

Salmos 18.28-29

Sejam fortes e corajosos, todos vocês que esperam no Senhor!

Salmos 31.24

O Senhor é bom para com aqueles cuja esperança está nele, para com aqueles que o buscam; é bom esperar tranquilo pela salvação do Senhor.

Lamentações 3.25-26

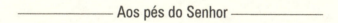

Aos pés do Senhor

Pai amado, às vezes penso que minha vida acabou, que não há mais razão para prosseguir. São tantas dificuldades, decepções e dores que não vejo muito mais à frente. Sinto-me em um beco sem saída, sem perspectivas ou horizontes. No entanto, sei que só tu podes determinar qual é a linha de chegada. Obrigado pela certeza de que tudo o que estou vivendo faz parte de um processo contínuo e interminável de erros e acertos, alegrias e decepções, perdas e conquistas, pecados e arrependimentos, altos e baixos. Sei que ainda não cheguei ao fim da jornada, mas, sim, que este momento de aridez é apenas mais um entre tantos degraus na escada da vida. Peço que me dês forças para prosseguir na caminhada, com a convicção de que muito mais ainda me aguarda para além de onde os olhos conseguem ver. Em nome de Jesus. Amém.

ACHO QUE DEUS NÃO ME AMA

Eu sou como uma oliveira que floresce na casa de Deus; confio no amor de Deus para todo o sempre.

SALMOS 52.8

Minha filhinha e eu estávamos nos divertindo a valer. Já era tarde e passava da hora de ela dormir, mas a brincadeira estava tão empolgante que é lógico que a pequena não queria ir para a cama. Faço questão de manter a disciplina de seu sono e, por isso, lhe informei que precisávamos parar. Você sabe como são as crianças: imediatamente o sorriso sumiu de seu rosto, ela fez um bico enorme, cruzou os braços e afundou o queixo no peito. Raro é o dia em que não lhe digo no mínimo umas três vezes que a amo. Ela também diz que me ama e sabe perfeitamente quanto seu amor é importante para mim. Por isso, naquele minuto, usou a estratégia da chantagem emocional para tentar ficar acordada por mais algum tempo, brincando comigo. Foi golpe baixo: "Eu não te amo mais, papai", falou alto. Sei que ela disse isso da boca para fora, e a minha reação foi espontânea e imediata. Respondi, em voz baixa e acariciando seus cabelos: "Bebê, absolutamente nada do que você faça ou fale vai me fazer deixar de amá-la. Meu amor por você é pelo resto da vida". Percebi que ela não esperava por aquelas palavras. Relaxou a postura, se encostou em mim, sorriu de canto de boca e me abraçou. Em pouco tempo, estava na cama, sendo embalada por uma oração cantada pelo papai.

Nossas reações impensadas merecem atenção. Elas falam muito sobre nós, porque ocorrem sem planejamento, sem censura. Se você quiser saber como é o temperamento de alguém, dê nela um susto. Algumas pessoas reagem gritando, outras saem correndo, outras ainda partem para cima. Isso demonstra se são agressivas, defensivas, tímidas ou o que for. Do mesmo modo, reações espontâneas revelam verdades profundas. Depois desse episódio, fiquei pensando sobre o que eu disse à minha filha. Sei que soa como lugar-comum dizer que nada abalará o amor de um pai pelo filho, mas, acredite, falei aquilo de modo irrefletido e sei que partiu do fundo do meu coração. Foi uma verdade absoluta. Naquele instante, tive a plena convicção de que, mesmo que minha filha cometa as maiores atrocidades contra mim, meu amor por ela permanecerá.

Que dirá o amor do Aba, nosso Pai celestial.

Todos os dias, você e eu temos atitudes, pensamentos e posturas que trazem subentendido a afirmação para Deus: "Eu não te amo mais, Papai". Os pecados são a maior expressão disso. Desobedecemos ao Senhor, mesmo sabendo que Jesus disse: "Quem tem os meus mandamentos e lhes obedece, esse é o que me ama" (Jo 14.21). A conclusão é óbvia: se desobedecemos aos mandamentos de Cristo, estamos lhe dizendo com nossas ações que não o amamos.

Outra forma de dizer a Deus que não o amamos é quando não o amamos sobre todas as coisas. Confuso? Explico: o maior mandamento é que amemos o Senhor sobre todas as coisas. Quando estabelecemos outras prioridades em lugar do nosso relacionamento com ele, não o estamos amando sobre todas as coisas. Como é sua vida de oração? Como anda seu estudo das Escrituras? Quem não ora nem estuda a Bíblia está dizendo ao Criador, com suas atitudes, que não deseja se relacionar com ele, que ter intimidade com o Senhor não é prioritário. E isso é o descumprimento do primeiro mandamento.

E por aí vai. Além de pecados e prioridades equivocadas, é extensa a lista de posturas e pensamentos que se traduzem para Deus como falta de amor. Poderíamos gastar muito tempo aqui falando sobre todos os itens dessa lista, mas não é esse o meu foco. O que mais penso acerca desse assunto é na reação de Jesus a essas nossas demonstrações de um amor imperfeito. Como o Senhor considera essas posturas?

Minhas palavras espontâneas à minha filha me fizeram compreender mais sobre o amor de um pai. Pois se eu, que sou mau, tenho esse sentimento com relação a quem gerei, que dirá nosso Pai com relação a nós. Pense: você não simplesmente brotou de um "espermatozoide divino". O Senhor não esperou nove meses para ver como você seria. Não. Você é fruto de um projeto. Você foi planejado. Foi cuidadosamente pensado e idealizado pelo Criador. O salmista já disse, sob inspiração do Espírito Santo:

> Tu criaste o íntimo do meu ser e me teceste no ventre de minha mãe. Eu te louvo porque me fizeste de modo especial e admirável. Tuas obras são maravilhosas! Digo isso com convicção. Meus ossos não estavam escondidos de ti quando em secreto fui formado e entretecido como nas profundezas da terra. Os teus olhos viram o meu embrião; todos os dias determinados para mim foram escritos no teu livro antes de qualquer deles existir.
>
> Salmos 139.13-16

Você é uma obra de arte. Deus idealizou absolutamente tudo o que diz respeito à sua pessoa antes mesmo de criar a primeira

166 O fim do sofrimento

célula do seu corpo. Quando você não passava de um zigoto microscópico no útero de sua mãe, o Senhor já o amava com um amor profundo e inabalável. Ele olhava para aquele amontoado disforme de células e pensava: "Eis o filho que eu amo". Deus já tinha um propósito para a sua existência. Na verdade, antes que Gênesis 1.1 ocorresse, você já era realidade no coração do Todo--poderoso, e creio que ele ansiava pelo dia em que formaria sua vida. Você é precioso, amado e importante para o seu Pai.

Sim, erramos. Muitas vezes cometemos atrocidades. Dizemos diariamente a Deus com nossas atitudes: "Eu não te amo mais, Papai". Chegamos a nos afastar dele, por amarmos mais o mundo e os prazeres da vida do que o nosso Criador. Só que o Pai está na janela, de olhos fixos no horizonte, à espera do filho amado. E, quando temos a coragem de reconhecer nosso erro, ele se vira para nós e diz: "Bebê, absolutamente nada do que você faça ou fale vai me fazer deixar de amá-lo. Meu amor por você é pelo resto da vida".

Eu diria mais: é pela eternidade.

Como posso afirmar isso? Porque assim disse o Senhor:

> Todo aquele que o Pai me der virá a mim, e quem vier a mim eu *jamais* rejeitarei. Pois desci dos céus, não para fazer a minha vontade, mas para fazer a vontade daquele que me enviou. E esta é a vontade daquele que me enviou: *que eu não perca nenhum dos que ele me deu*, mas os ressuscite no último dia. Porque a vontade de meu Pai é que todo aquele que olhar para o Filho e nele crer tenha a vida eterna, e eu o ressuscitarei no último dia.
>
> João 6.37-40

E se você acha que, por algo que tenha feito, o amor de Deus por você se acabou, por favor, preste muita atenção nesta verdade irrefutável do evangelho do Salvador do mundo:

Nem morte nem vida, nem anjos nem demônios, nem o presente nem o futuro, nem quaisquer poderes, nem altura nem profundidade, nem qualquer outra coisa na criação será capaz de nos separar do amor de Deus que está em Cristo Jesus, nosso Senhor.

Romanos 8.38-39

Nada. Nada, nada, nada é capaz de separar você do amor de Deus. Nada.

Você é amado. Amado desde sempre e amado para sempre. E sofrimento nenhum pode mudar isso.

Uma mensagem de esperança

Se você diz:

— *Acho que Deus não me ama...*

Deus tem um recado para você:

— *Eu amo você com amor inabalável.*

Para sua meditação

Cantarei para sempre o amor do SENHOR; com minha boca anunciarei a tua fidelidade por todas as gerações. Sei que firme está o teu amor para sempre, e que firmaste nos céus a tua fidelidade.

Salmos 89.1-2

Deus, que é rico em misericórdia, pelo grande amor com que nos amou, deu-nos vida com Cristo, quando ainda estávamos mortos em transgressões — pela graça vocês são salvos.

Efésios 2.4-5

Portanto, sejam imitadores de Deus, como filhos amados, e vivam em amor, como também Cristo nos amou e se entregou por nós como oferta e sacrifício de aroma agradável a Deus.

Efésios 5.1-2

Aos pés do Senhor

Pai amado, tenho sentido enorme carência do teu amor. Se eu pudesse, te abraçaria, te beijaria e repousaria em teu colo, pois estou muito necessitado do teu afeto. Sei, porém, que tu me amas com amor profundo e inabalável, amor que nutres desde antes da minha concepção. A certeza de que sou precioso, amado e importante para ti me acalenta e me conforta. Perdoa meus pecados, que são demonstrações práticas de falhas na minha forma de te amar, mas quero reafirmar que te amo e preciso de ti. Obrigado porque não me rejeitas, apesar de minhas muitas transgressões, e porque sei que nem morte nem vida, nem anjos nem demônios, nem o presente nem o futuro, nem quaisquer poderes, nem altura nem profundidade, nem qualquer outra coisa na criação será capaz de me separar do teu amor. Eu te agradeço, em nome de Jesus. Amém.

CONCLUSÃO

Por que sofremos? Como pode um Deus bom, gracioso e amoroso permitir o sofrimento dos justos? Essa talvez seja uma das dúvidas mais antigas da história da fé cristã. É difícil compreender isso? Claro que é. Afinal, ninguém que é bom, gracioso e amoroso deseja que outra pessoa sofra. Como entender essa aparente contradição? Deus não existe? Ou Deus é mau? Ou, ainda, será que ele não está no controle do mundo? Nada disso. Há uma boa explicação.

Nenhum de nós quer sofrer, é fato. Sofrimento é ruim, a dor nos derruba, o luto nos abate, o abandono nos esvazia. Sim, não há dúvida: ninguém quer encarar o sofrimento. Para quem está no olho do furacão, só o que importa é o fim da angústia, é encontrar a paz. Infelizmente, o pecado do Éden removeu do mundo a possibilidade de uma paz constante e inabalável e, desde a transgressão de Adão, estamos sujeitos a passar por momentos de aflição. Por isso, o sofrimento tornou-se inevitável, mas, ainda assim, desejamos evitá-lo a qualquer custo.

Poucas pessoas explicaram essa questão com tanta propriedade quanto o escritor cristão C. S. Lewis. Ele escreveu:

Deus, que nos criou, sabe o que somos e que a nossa alegria se encontra nele. Entretanto, nós não buscaremos isso nele enquanto ele nos deixar outro refúgio em que haja alguma chance plausível de isso ser encontrado. Enquanto o que nós chamamos de "nossa própria vida" nos parecer agradável, não estaremos nos entregando a ele. Assim, o que é que Deus poderia fazer por nós além de tornar a nossa "própria vida" menos agradável para nós e privar-nos da fonte plausível da falsa felicidade?*

O que isso quer dizer? Que para aproximar cada vez mais as pessoas dele, Deus muitas vezes utiliza esse instrumento pedagógico chamado *sofrimento*. Porque não há nada como a tribulação para nos fazer correr aos pés do Senhor, reconhecer nossos erros, repensar os pecados, buscar a santidade. É em meio ao vale de trevas e de morte que sentimos com uma intensidade sem igual a necessidade do colo do Pai.

A verdade é que Deus não se conforma com o nosso conformismo. Ele não quer ter filhos que se satisfazem apenas com o bem-estar terreno, que pensam que é suficiente ter um carro, uma televisão de muitas polegadas e roupas da moda. Não. O Senhor não se contenta com nada menos do que nossa total entrega a ele, pois sabe que só assim viveremos em plenitude nesta vida e na próxima. Assim, o Onipotente permite muitas vezes que nos tornemos impotentes, para que o busquemos em primeiro lugar e acima de todas as coisas.

Deus permite o sofrimento? Sim. Mas por uma causa maior. Porque ele sabe que "os nossos sofrimentos leves e momentâneos estão produzindo para nós uma glória eterna que pesa mais do que todos eles" (2Co 4.17). E isso é o que importa, para ele e para nós — mesmo que não reconheçamos. Novamente, C. S. Lewis dá uma explicação perfeita sobre essa realidade:

* *Um ano com C. S. Lewis*, Viçosa: Ultimato, 2005, p. 318.

A doutrina cristã do sofrimento explica, creio eu, um fato muito curioso sobre o mundo em que vivemos. A felicidade e a segurança estáveis que todos almejamos nos são negadas por Deus pela própria natureza do mundo. [...] Não é difícil saber por quê. A segurança que desejamos nos ensinaria a descansar o coração neste mundo e seria um obstáculo à nossa volta a Deus.**

A verdade é esta: com a entrada do pecado na humanidade, o sofrimento tornou-se inevitável. Ele virá, pois faz parte de nossa natureza humana. É uma das principais consequências da queda. Nós convidamos o sofrimento a fazer parte de nossa vida ao comermos do fruto proibido e transgredir o estado perfeito em que fomos criados. O que Deus faz é pegar esse sofrimento e usá-lo a nosso favor e para a sua glória.

Por saber que o sofrimento é inevitável, o bom Deus o utiliza para alcançar seus maravilhosos objetivos — que, embora num primeiro momento não pareça, contribuirão para o nosso bem. "Deus age em todas as coisas para o bem daqueles que o amam, dos que foram chamados de acordo com o seu propósito" (Rm 8.28). Portanto, para aqueles que descansam no Senhor, uma verdade jamais pode ser esquecida: se Deus é bom e permite que soframos, algo igualmente bom o Todo-poderoso está preparando como consequência desse momento de dificuldades.

Tudo o que aconteceu na sua vida até hoje tinha como fim — como finalidade — construir a pessoa que você é, para que o Senhor cumpra a vontade dele na sua trajetória. Deus, em sua multiforme sabedoria, constrói cada um de nós de maneira diferente e com propósitos distintos das demais pessoas. Dependendo de quem você era anos atrás e de como o Senhor deseja

---

** *O problema do sofrimento*, São Paulo: Vida, 1983, p. 56.

172 O fim do sofrimento

que você se torne, ele vai trabalhar de determinada maneira. Um edifício não é formado de um único material, e cada um é tratado de modo diferente: o cimento *precisa* ser constantemente agitado, o tijolo *precisa* ser assado para suportar grandes pressões, os fios *precisam* ser bem acondicionados, os alicerces *precisam* ser muito socados, a tinta *precisa* ser bem misturada... Cada material tem suas características, um modo diferente de ser trabalhado, um tempo específico de preparo antes de ser assentado, uma possibilidade diferente de ser utilizado. Mas absolutamente nenhum é visto como menos importante ou é tratado de certa maneira porque o construtor deseja que ele sofra ou seja prejudicado: tudo tem um único propósito, que é fazer o edifício ser erguido com solidez.

Seríamos muito mais felizes se compreendêssemos que as dificuldades da vida fazem parte do propósito para o qual fomos criados, e que a cada um é dado justamente o que faz parte de sua natureza e finalidade. Até mesmo para que Cristo se tornasse o Salvador ele teve de sofrer. Foi *preciso* que fosse humilhado, entristecido, espancado e morto na cruz. E se ele, que é Senhor, *precisou* passar por isso para cumprir sua finalidade de ser o Cordeiro de Deus que tira o pecado do mundo, quanto mais nós teremos de enfrentar dificuldades para cumprir aquilo para que fomos criados.

Como o Senhor não é mau e zela pelos que ama, em meio ao sofrimento ele nos concede alento e alívio. Isso tudo pode vir na forma de promessas bíblicas, ombros caridosos, palavras de consolo e fortalecimento... são copos d'água que ele nos dá no deserto enquanto não chegamos ao oásis. Meu desejo, minha oração e minha esperança é que este livro seja um desses instrumentos que Deus utiliza para levar conforto. Peço ao Altíssimo que aquilo que você leu ao longo destas páginas tenha falado ao seu coração e ofertado paz, força, consolo, descanso e graça.

Por fim, gostaria que você pensasse em uma lagarta. Você consegue imaginar o que uma lagarta sente quando está dentro do casulo? Acredito que ela não fique muito confortável. É possível que se sinta espremida, claustrofóbica. Talvez sofra. Quem sabe, até, fique triste e abatida. Nunca vi uma lagarta tecer um casulo e desejar permanecer nele para sempre. Seu objetivo, naturalmente, é sair dali. Mas, quando sai, depois de muito esforço, ela não é mais uma lagarta feia, limitada e que se arrasta por toda parte: tornou-se uma bela, ágil, livre e majestosa borboleta.

O sofrimento é nosso casulo. E Deus permite que passemos por ele porque sabe que, no final do processo, seremos aperfeiçoados. O Senhor faz isso porque conhece o que virá adiante. Verdes pastagens. Águas tranquilas. E o reconfortante abraço de Jesus. Como disse o poeta francês Paul Claudel, "Deus não veio para suprimir o sofrimento nem veio para explicá-lo, mas veio para encher você com a sua divina presença". Peço ao Senhor que você, que neste momento está sofrendo, seja cheio da gloriosa e graciosa presença de Deus, para que possa abrir asas e alçar voos cada vez mais altos.

E que, enquanto o sofrimento não chega ao fim, ao término, você consiga descobrir qual é o fim, a finalidade, desse mesmo sofrimento. Pois, se a lagarta compreender que o casulo tem como fim a sua transformação em uma linda borboleta, ela aguardará com muito mais paciência, força e fé o fim daquela difícil fase em sua vida.

SOBRE O AUTOR

Maurício Zágari é editor, escritor, jornalista e teólogo. Recebeu os Prêmios Areté de "Autor Revelação do Ano" e de "Melhor Livro de Ficção/Romance" pelo livro *O enigma da Bíblia de Gutemberg*. É autor também dos livros *A verdadeira vitória do cristão*, *7 enigmas e um tesouro* e *O mistério de Cruz das Almas*. Pela Editora Mundo Cristão, publicou a obra *Perdão total: um livro para quem não se perdoa e para quem não consegue perdoar*. Escreve regularmente em seu *blog* Apenas (<http://apenas1.wordpress.com>). É membro da Igreja Metodista em Botafogo (Rio de Janeiro, RJ).

Compartilhe suas impressões de leitura escrevendo para:
opiniao-do-leitor@mundocristao.com.br
Acesse nosso *site*: www.mundocristao.com.br

Equipe MC:	Daniel Faria (editor assistente)
	Natália Custódio
Diagramação:	Felipe Marques
Revisão:	Josemar de Souza Pinto
Gráfica:	Meta Brasil
Fonte:	Adobe Caslon Pro
Papel:	Pólen Soft 80 g/m² (miolo)
	Cartão 250 g/m² (capa)